D1288013

★この作品はフィクションです。実在の人物・
団体・事件などには、いっさい関係ありません。

JUMP COMICS
ジョジョの奇妙な冒険
Part 6
ストーンオーシャン
2
(65)
グリーン・ドルフィン・ストリート刑務所の面会人
荒木飛呂彦
あらき・ひろひこ

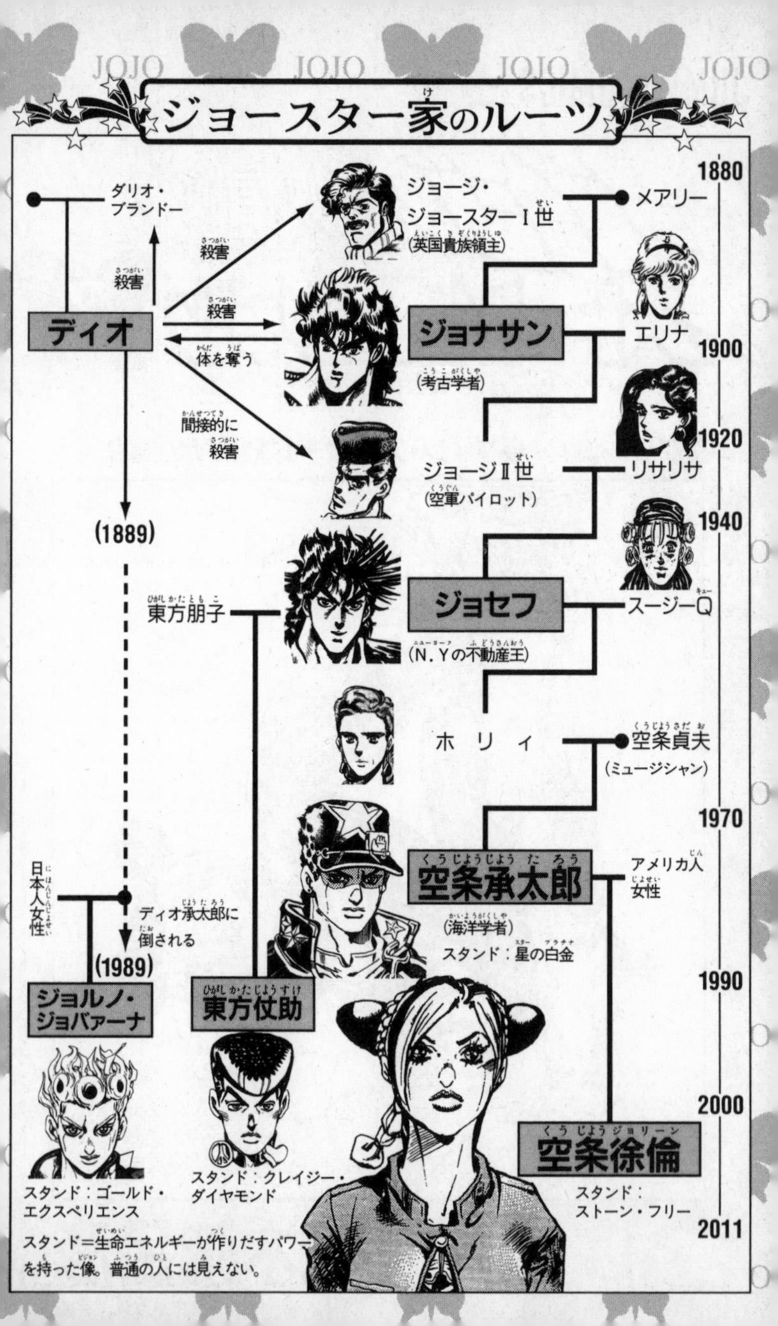
JOJO
ジョースター家のルーツ
1880
1900
1920
1940
1970
1990
2000
2011
ダリオ・ブランドー
殺害
殺害
ディオ
殺害
体を奪う
間接的に殺害
(1889)
日本人女性
ディオ承太郎に倒される
(1989)
ジョルノ・ジョバァーナ
スタンド：ゴールド・エクスペリエンス
ジョージ・ジョースターⅠ世
(英国貴族領主)
メアリー
ジョナサン
(考古学者)
エリナ
ジョージⅡ世
(空軍パイロット)
リサリサ
ジョセフ
(N.Yの不動産王)
スージーQ
東方朋子
ホリィ
空条貞夫
(ミュージシャン)
空条承太郎
(海洋学者)
スタンド：星の白金
アメリカ人女性
東方仗助
スタンド：クレイジー・ダイヤモンド
空条徐倫
スタンド：ストーン・フリー
スタンド＝生命エネルギーが作りだすパワーを持った像。普通の人には見えない。

空条徐倫
スタンド：ストーン・フリー

空条承太郎
スタンド：
スタープラチナ

ジョンガリ・A
スタンド：
マンハッタン・トランスファー

グェス
スタンド：
グーグー・ドールズ

エルメェス・コステロ
スタンド：
？

前巻のあらすじ

これは一世紀以上にわたるディオとジョースター一家の因縁の物語である…。

二〇一一年のアメリカ。空条徐倫は恋人、ロメオとドライブ中に人を撥ねてしまう。悪徳弁護士とロメオに陥れられた徐倫に刑期15年の判決が下った。州立グリーン・ドルフィン・ストリート刑務所に収監された徐倫だったが、既に離婚している父親、承太郎から託されたペンダントを手にした時から、不思議な力が発動し始めていた…。

かくして囚人番号、FE40536として徐倫の監獄暮らしが始まった。驚いたことに同室の女囚、グェスは徐倫が投げ捨てたペンダントを持っていた。グェスのスタンド能力、「グーグー・ドールズ」で体を小さくされ、脱獄の下調べをやらされていた徐倫に凶悪な「グーグー・ドールズ」の本体が迫る！　しかし、その時、ついに徐倫のスタンドが目覚めた！

2
(65)

グリーン・ドルフィン・ストリート刑務所の面会人

CONTENTS

ドドド
ドド
ストーン・フリー
その②

あたしのエネルギーの…
『固まり』
ドドドド
ドドド
ゲッ
が…
ドドド
線が集まって固まれば『立体』になるッ！
ドド
この概念‼
ドド
ドシャア
イィィ…
ガシィィ！

ギャアアース!!
叫ぶんだくそ野郎ーーッ
どこかに行っちまったおまえを操る「グェス」をここに呼べッ!
そしてあたしの首をこの鉄柱からはずさせるんだッ!!
早く呼べエーーッ!!
徐倫……
まさか……おまえ…
も
そんな「能力」を……持っていたとは……

ああああ
あ〜〜〜〜
まっ！ ままま
まっ！
グェス！
あたしの「グーグー・ドールズ」を
そんなに絞めつけないで
くれエエエエ〜〜〜〜〜!!
歯が折れちまったじゃあ
ねーかよオオオオーーーッ
待てっっ!!
わ…わかってるって!!
見ろよオ
この顔のダメージを！
おまえの非現実的な脱獄計画は終わりだ
グェス！
あたしの体を少し小さくして
この首がはずれるようにしろ！
少しだぞ……
やりすぎるな……
わかってるな……
妙なマネはするなよ

わ…わかったって……!!
ベッドも下の段に寝ていいよ……
夕飯もあたしの分をあげる…だから お願い……
いろいろあったけど あたしを嫌いにならないで
でもチュー言葉はたまに使ってほしいな♡
あれとってもカワイイんだもん
いいから早くしろオオーーーッ
ボオオォ
オォ
ォ!!
やった!
ちくしょうオよ…よし!
次は「ペンダント」だ!
あれはあたしの物だ 返せ!
もちろん大切なのは中に入ってた「石」だ! 「石」を持ってるから そんな能力を身につけたんだからなッ!
も…もちろんだよ 返すってば……
でも200ドルだっけ?
うるせェェーーーーぞッ! メス豚アーーーッ!
さっさと中を開けて「石」を見せろッ!!
しかも誰からペンダントを買ったか 名前を言ってもらうぞ!!

わ… わかってるって
…返すってば
だから「グーグー・ドールズ」を離して……
お願い…
そんな風に
あたしを嫌いに
ならないで…
いいから誰から
買ったのかと
質問してるんだ
答えろッ
たしか
……
え…
エルメェス
とか…
言ってた
でも そいつの事
よく知らないんだ
……本当…
エルメェス
？
エルメェス
って…
『エルメェス・
コステロ』？
管理
ジュイルで
いっしょに
いた…
ポロオッ
あ
ごめん
……
ス…
コロ
コロ
コロ
コロ

……てかァ……
う!?っ
!!

やったアァアァアーーッ
看守さんンンンン――ッ
ちょっと来てくれッ！通路に怪しいヤツがいるぞッ！
ガンポイントを越えてるヤツがいるぞォオオオーッ
ズ！
チ
ダ
ケ
……
！
ド

ひっかかりやがったッ！
おまえはあたしの信頼を裏切りやがった！この山猿がッ！それを許すと思うのかッ！
やった……
う……

早く来いよォォォーーー看守ウウウウウウーーーッ
……

……
キャアアア――ハハハハハハハハハ
言い付け通りちょっとだけ体を小さくしたぜエエエエエ――
でもすでに！元の大きさに戻してるッ！今戻したッ！

ガタ…
……
WARNING
……

お……
おまえ
そこで……
何をやっている!!
ど
こ
どうやって……この通路に入った!

た
ドン

大変だ!
999(脱獄)発生エエエエ――ッ
警報だアッ!
警報を鳴らせエエ――――ッ!!

!
……
ヒ
ガダンーッ

G.D.S

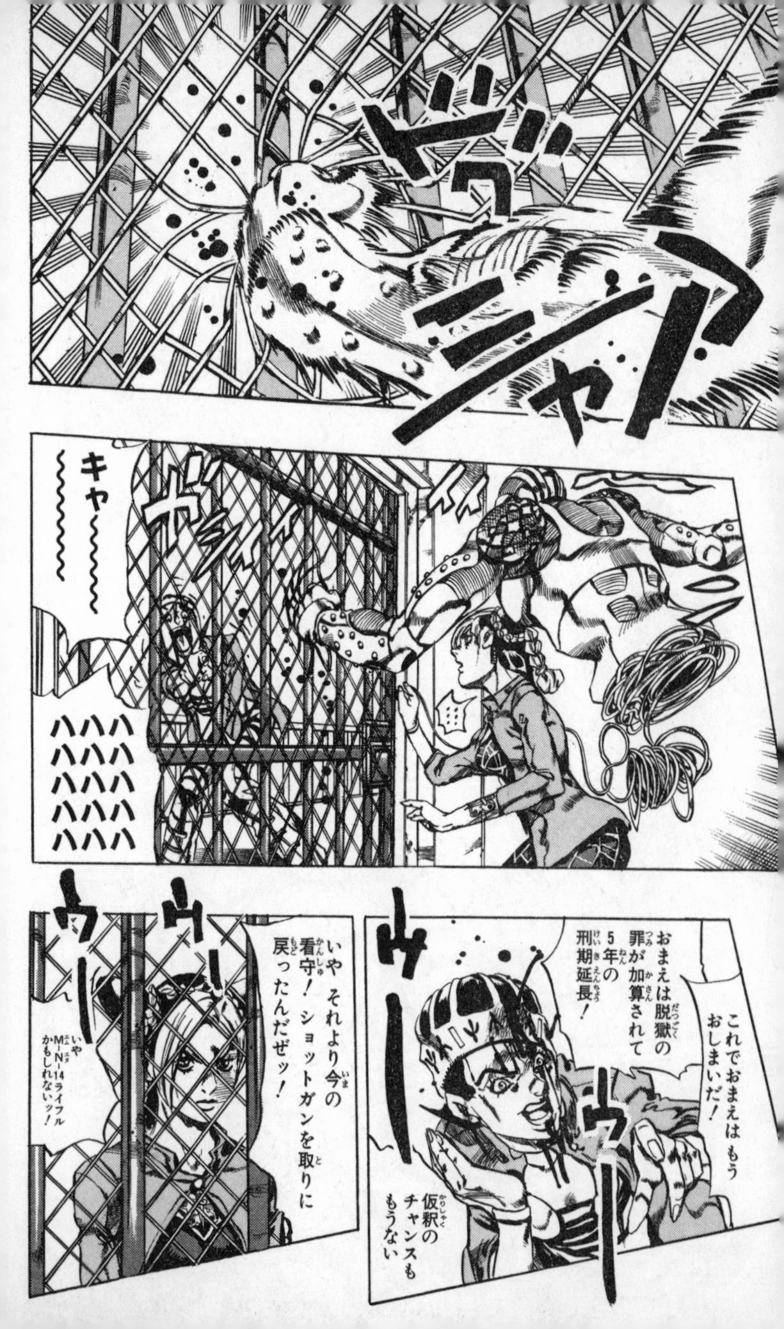
ドグシャアッ
ガシィィィ
キャ〜〜〜〜〜
ハハハハハ
ハハハハハ
ハハハハハ
これでおまえはもう
おしまいだ！
おまえは脱獄の
罪が加算されて
5年の
刑期延長！
仮釈のチャンスも
もうない
ウ〜〜〜
ウ〜〜〜
いや それより今の
看守！ ショットガンを取りに
戻ったんだぜッ！
いや
M-14ライフル
かもしれないッ！

ヤツにはお前を射殺する権利があるッ！
ここは『警備LEVEL4』！問答無用だ
ウーーッ
GUN POINT
ここには『手を上げろ』って言葉はないんだぜェェェェ――ッ
徐倫――！
徐倫――ッ！
ジョッー！
徐倫 リッヒヒィイイ～～～ン！
ざまあみやがれェェエ――ッ
あたしの心をふみにじったからだああああ――ッ

そ…

ボゴォ
やれやれだわ…
グェス
あんた
何にでも名前はあるって言ったわよね
あたしも名前を付けるわ
「ストーン・フリー」あたしは…この「石の海」から自由になる…
聞こえた？
『ストーン・フリー』よ……
これが名前

オラオラオラオラオラオラ
オラオラオラオラオラオラ
オラオラオラオラ
オラオラオラオラ

オゴオオオ
オオオ
グシー！
ゴロのォォ
この刑務所で上下関係があるというのならそれに従うわ……
ただし命令するのはあたし
今度こそちゃんとやれよあたしを小さくして
ここからそっちへ出すんだ！

ガシャッ
……
……
どこにいる？
999発生って……
どこに誰がいる？

PRIVILEGE CARD

名前通称	:グェス(22) ♀
囚人番号	FE18081
房番号	206
刑期	12年
罪状	放火、殺人未遂、仮釈逃亡
身体的特徴	身長171cm 体重56kg 左右の目の下に各3つの点形の刺青あり
性格	小心者 信用できない
スタンド能力名	グーグー・ドールズ (自分はなれないが他人を人形のように小さくできる)

TO BE CONTINUED

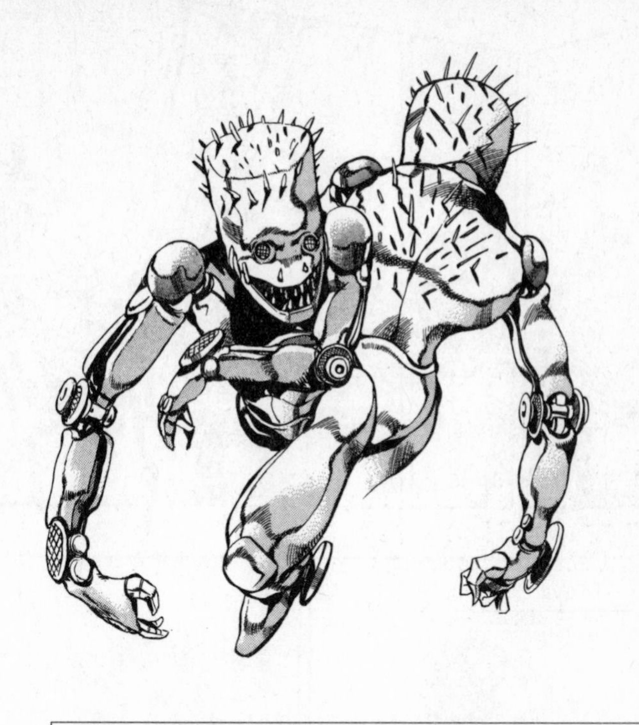

スタンド名—『グーグー・ドール』 本体—グェス		
破壊力—D	スピード—C	射程距離—20～30ｍ
持続力—D	精密動作性—B	成長性—B

能力—他の囚人より自分の方が優位に立ちたいというグェスの心理の奥底にある願望がスタンド能力の特徴となった。つまり〝友達になりたいんだけれども、支配もしていなくてはならない〟という〝ペット化〟とでもいうような屈折した囚人グェスの心の姿だ。グーグー・ドールズはとりつくようにして徐倫を小さくした。裏切ったら自動的に殺す。

A—超スゴイ　B—スゴイ　C—人間並　D—ニガテ　E—超ニガテ

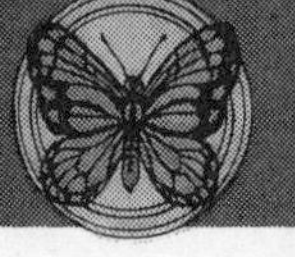

空条徐倫(19)
JOLYNE CUJOH
日系アメリカ人
囚人番号FE40536
房番号 206
罪状 殺人・死体遺棄
自動車の窃盗
刑期
15年
ヘアスタイルは短髪か規則。ただし刑務所内のトコヤにワイロを払うと自由になる
肩に星形のアザあり
上着を着ずに房を出ることは許されない
射殺される場合もある
身長 174.5cm
体重 58kg
囚人番号入りのリストバンド
これをはずすと厳罰
メイクは
さし入れや買い物で
自由
マニキュアも自由
ズボンのバックルは
金属所持になるので
規則違反
ペンダントの所持も違反
蝶の
タトゥー、14の時
旅行へ行った時の
思い出と本人の談
どこかにボールペンを隠し持っている
規則違反
グリーン・
ドルフィン・
ストリート刑務所

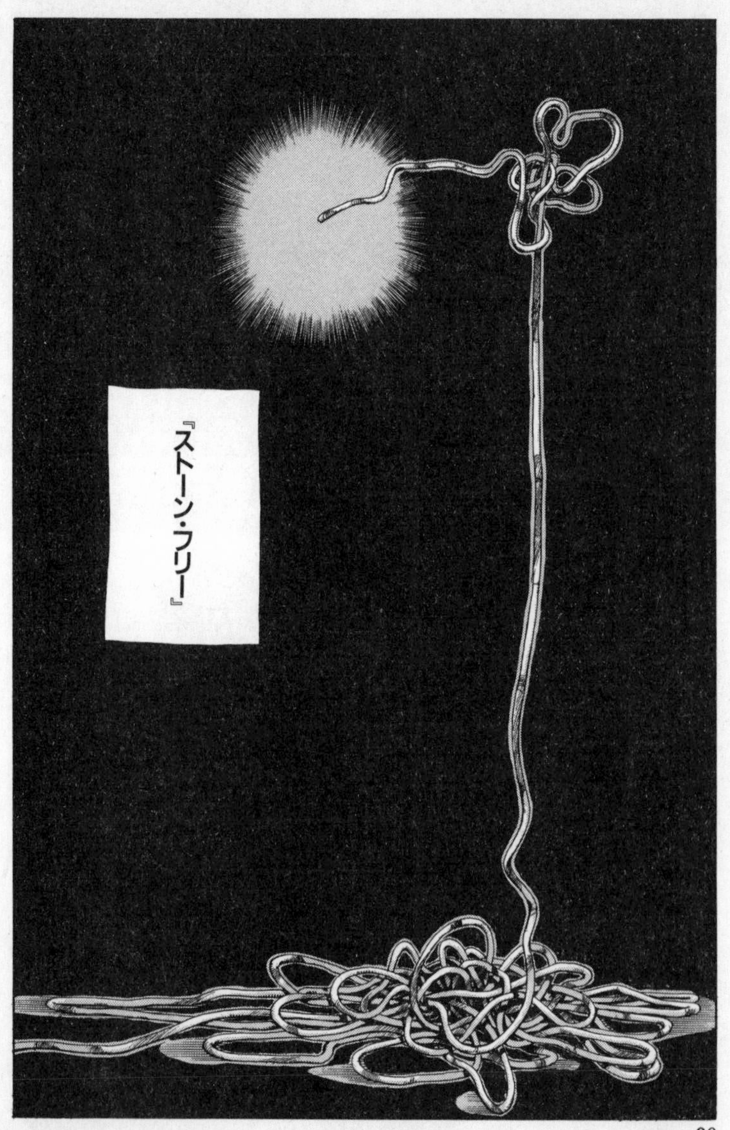
『ストーン・フリー』

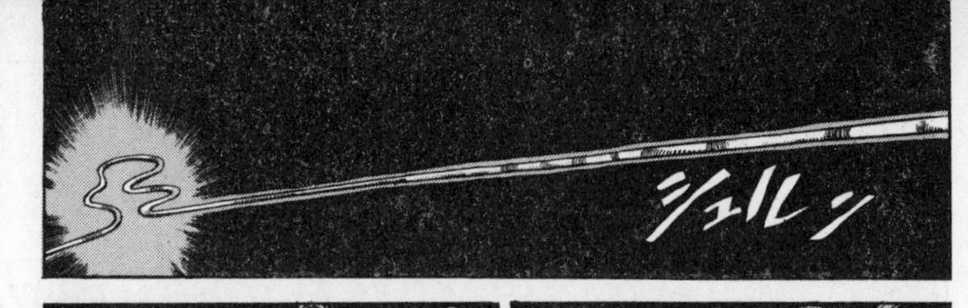
シュルン

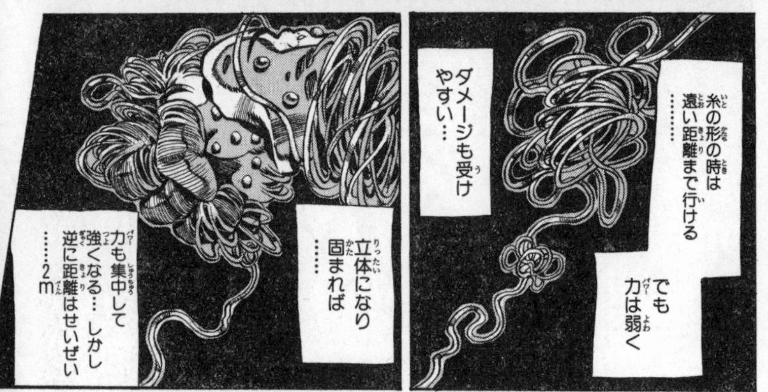
糸の形の時は遠い距離まで行ける……
でも力は弱く
ダメージも受けやすい…
立体になり固まれば……
力も集中して強くなる… しかし逆に距離はせいぜい……2m

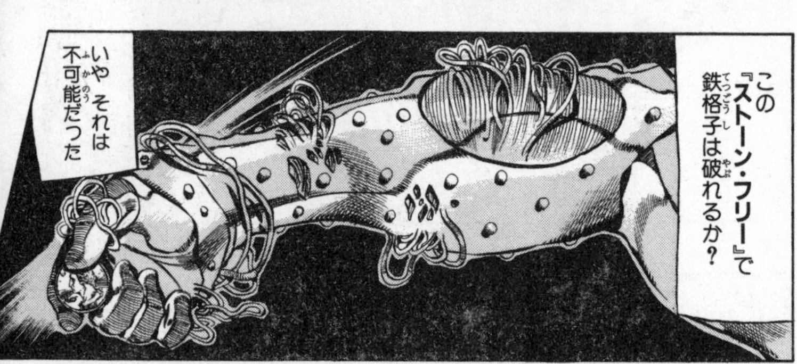
この『ストーン・フリー』で鉄格子は破れるか？
いや それは不可能だった

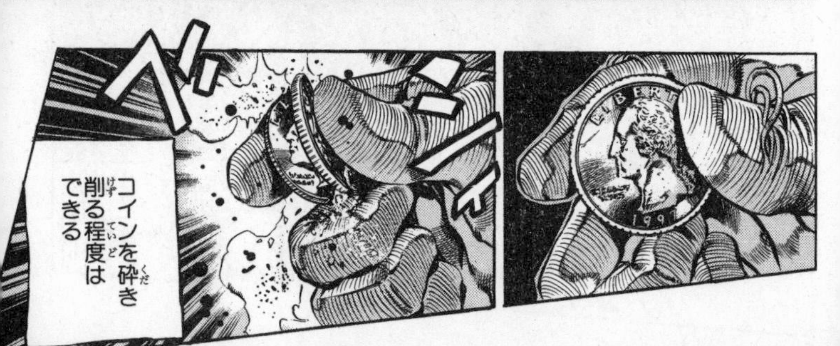
ベキ
コインを砕き削る程度はできる

ペンダントの「石」が引き出した「精神のエネルギー」
「脱獄」…か …それは可能だろうか…？まず把握しなくては…刑務所全体を…
ねえ ちょっと…
あんた？

ねえってば！あんた！
そこのあんたよ聞こえてる？
こんな所で言うのもなんなんだけど実は困ってるのよ…
通話が切れそうなのよ電話にお金を入れないと……コレクトコールじゃないし…
部屋に取りに行けばあるんだけど小銭持ってたら貸してくれない？

……
家族とひさしぶりの話なのよ
1ドルあれば助かるわ…
1ドル

ええ いいわよ
ありがとう 助かったわ
話が終わったらすぐ返すから……
ガチャ

!
おい どけっ！てめー
ド
何やってんだ！割り込むなッ コラ
あたしの番だぜ

ピッ
ピー
ちょっと待ってよ――
今の長電話のヤツの後を30分も並んで待ってたのはあたしよ！
あんたこそ今並んでなかった！
……
バーーカ
新入りか？
ここの電話は全て予約制だ！
囚人みんなが電話をしたがっている
しかも いくらかけようと自由ってんなら 混雑が出来るのはあたり前だろ
予約？
そんなの聞いてないわッ！
じゃあこれから覚えとけ
ちなみに通常一ヵ月待ちだけどね
一ヵ月ーーッ!?
ひとり何分の通話時間なら どうして一ヵ月も待つ事になるのよッ
そこが刑務所の七不思議
ねえ あんた その順番売ってくんない？
そしてこれが七不思議の原因
もしもし

ガヤ
ガヤ
……
ガヤ
ガヤ
ガヤ

電話したい……
声を聞きたい……
ママの声を……
泣きたくなってきた……
あたしよ
こきけんいかが〜？
やかましゃああ——
近寄るなッ！
オメーとは口をきかね——って言っただろォォッ！
ねー　そーゆー風ーにあたしを嫌いにならないで
あんたの家来になるって誓ったじゃない
全てあんたの言う事をきくしベッドもあんたが下！
それにあんたがすごく心配だから忠告しに来たのよ
てめー何たくらんでる…!?あと尾いて来るな！
サ！

違う！誤解しないでちょっと聞いて！
今さあ徐倫…あんたすごくマズイ事やっちまったんだよ
今金髪の女に「1ドル」貸したろ？

あれすぐに返してもらった方がいい
いや今返してもらわないと絶対にヤバイ
何言ってんだ？
返してもらうに決まってんじゃんたかが1ドルよ
あっあ〜〜〜今「たかが」って言った！
それだよそれ！そのたかが1ドルって気持ち！

……

いい？よく聞いて徐倫
この「水族館」じゃ囚人同士で金品を貸したり借りたりする事は絶対にやっちゃあいけない事だ……そのたかが1ドルだろうと……

もし あんたがあの金髪から そのたかが1ドルを 取り立てる事ができなかったなら
どうなると思う?
……
あいつみたいになる
こ
う
サ!!
……

噂は この水族館の囚人 全員に広まる
……
徐倫って新入りは 貸したたった1ドルぽっちも 『取り立てる事ができなかった』 「自分たちも借りに行こう」 『ちょっと脅せばまた貸して くれるさ』
どいつも こいつも みんな そう思う
そして たかられるんだ
あいつの ように…
次から次 ………
毎日だぜ ………
カネがなくなりゃ 体も心までも たかられ続ける
地獄ってやつは あーゆー事を言う んじゃあないのか
おい待てよ ……
大げさだな
そうですかね 徐倫
あいつも 最初はたったの 1ドルだった
それに見てよ …… 金髪だ…
自分の房に 入って また出て 来たけど…
あんたの所に 戻って来る つもりは ないみたいだ

READING ROOM(図書室)

……

ハイ
さっき会った徐倫
ちょっとじゃましていい？あたし
あ〜ら こんにちは
どう調子は？
これ名作なんだってね……読んだことある？
……
いえ
……ないな
それより
電話の所でのことなんだけど…すぐ…
返すって言ったわよね
LE CONTE DE MONTE CRISTO DUMAS

その…
あれ…
どうなったのかなと思って
……
……
……
……
ああ～～～～
もちろんよ
1ドル！
忘れるわけないわ！
電話の小銭よね
しっかりとここに覚えてるン♡
ここ！
ツッ
もちろんあとで返すわ♡
部屋に戻ればあるって言ったわよね
戻ったんでしょ！
今ある？
うるせエエッぞ!!グダグダとォーーッ
あとで返すってのは今持ってねエーーってことだろォオガァーーッ
守銭奴かッてめえはよォオオオオ～～～～っ

…………

それよりあんた
もう10ドル貸してくんないかなぁ〜〜〜
…………
ニギ
ニギ
そうすりゃあシャバの友達に電話できてカネ持って来てもらえるからさあ
な
持ってんだろ
10ドル貸してよ

…………

…………
…………

W.C
ニヤッ
プ
ヒヒヒ
クルッ

W.C
CD.st
JAIL

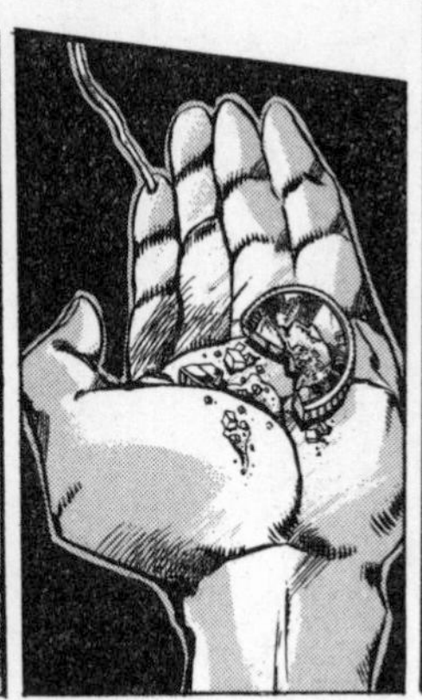

サァ…

W.C
バタム
う!?
……
……
うおっ
!?
あ…
あれ!?
……
あっ
あっ
あっ
あれええええ?

ポタ
ポタ
お…腹が……
あ
あ
あああ〜〜〜〜あ
……
なんか悪い物口に入れたかな…
あ……あああ
お…おいちょっとーおまえーッ
あのさあ〜〜い…急いでくんねーかなあ!
ドン
ドン
おい聞いてんのかあーーーッ!!
早くしろッ!出ろって言ってんだよチクショオオッ!
ドン!

……
ポリ
ポリ
か…看守ウ——ッ
鉄格子を開けてくれエエエ——っ
図書室から出たいッ!!
ガ
ゴォ
な…なんで急に腹が!?
間に合わねえ……
W.C.
わ…わかったッ!返すよッ!
1ドルだっけ?わかったってッ!ここにあるからすぐ出て来てくれッ!
返す?
それはあとでなんでしょっ……
本当遠りょしないでゆっくりでいいよ……
あっあああ〜っ
かっ買うッわ…わかったッ売ってくれッ!
ゴ
ゴ
ゴ
そのトイレの順番売ってくれエエエ
5…いや10ドル出すッ!売ってくれエエ
売ったッ!

ドグシャアン
べ
あ 悪いイ〜〜〜っ
でも今確かに言ったよね OK！10ドル！
あんたに売ったッ！
ヒラ ヒラ
ヒラ
ヒラ ヒラ ヒラ
……
〜♪
〜♬
……
……
ね…… あんた
次のトイレの前に並んで待ちなよ
もう ひとり トイレを ほしがるヤツが 出る
……
たかられてた金を取り戻せるかどーかはあんた次第だけどね…
ン！
あ…あれっ！
ゴロ ゴロ ゴロ
な…なんか…
その！
オレも…

G·D·st
JAIL
コロ コロ

コロコロ
C.D.st
C.D.st
……
えっ……

明日の昼
あなたに面会人が来る
徐倫
でも会ってはいけないよ「その人」に…
会ってはいけないんだ……絶対！

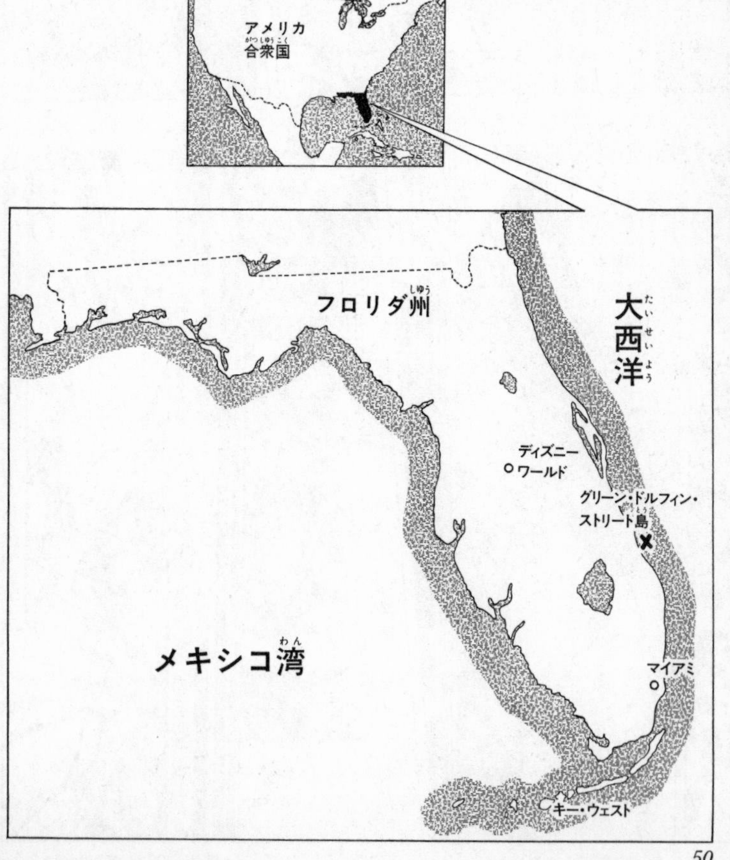
アメリカ合衆国
フロリダ州
大西洋
ディズニーワールド
グリーン・ドルフィン・ストリート島
メキシコ湾
マイアミ
キー・ウェスト

ゴゴゴ
明日昼の『面会』に行っちゃあいけないんだ
ゴ
……
徐倫
もし…会えば
ゴゴ
それはおねえちゃんだけじゃない…
死ぬ事以上に不幸な事が起こるんだよ

面会人　その①

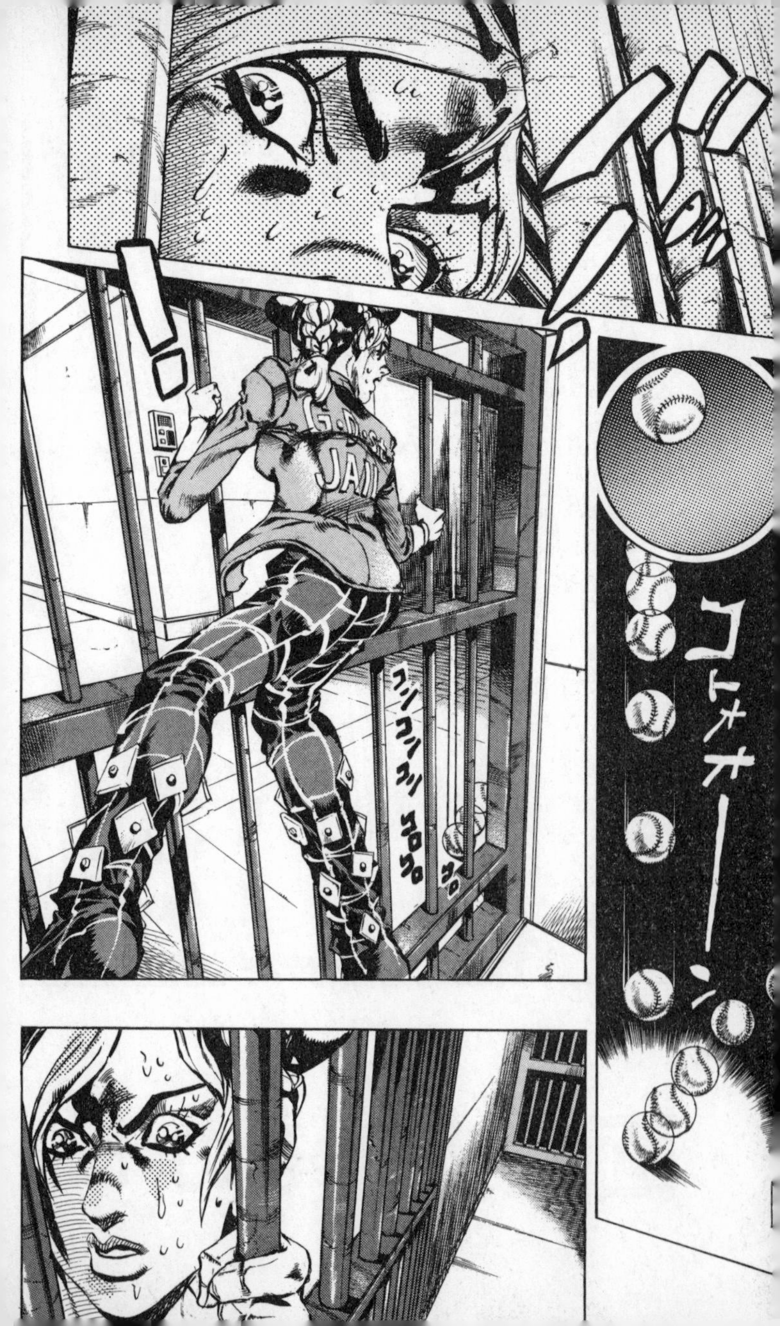
!
コトォオーン
コンコンコン ゴロゴロ
ゴロ

ウルルッ
い… いったい 今のは!!
……
まさか
少年
食堂に通じる廊下に男の子!
おい きさま 何やってる!
鉄格子にしがみつくんじゃあない!
離れろ
こっ この扉を開けてッ!
図書室を出たいッ!
ガッ
看守……

あああああああ〜〜〜
鉄格子をつかむなと言ってるんだ
！
はッ！
ドッ
ドスッ

ち…
チクショオオオオ
なんだったんだ!?
いったい……!?
ザワ
ザワ
ガヤ
ガヤ
痛…な…
うっ……
く……
チャラ
大げさだな…
その指……
昨日は悪かったな… FE40536
だが……
おまえが鉄格子にしがみついていたからだからな
規則だからな
すでに放していた……
しかも……
2発殴った
G.D
JA

ん…
今よく聞こえなかったが何か言ったかァ？
いえ……
あたしに何か用ですか？
おまえに面会者だ
起立しろ手錠をかける

……！

ゴゴゴゴ
面会人……
ゴ
……あたしのママ？
だ……誰？
ゴゴゴゴ

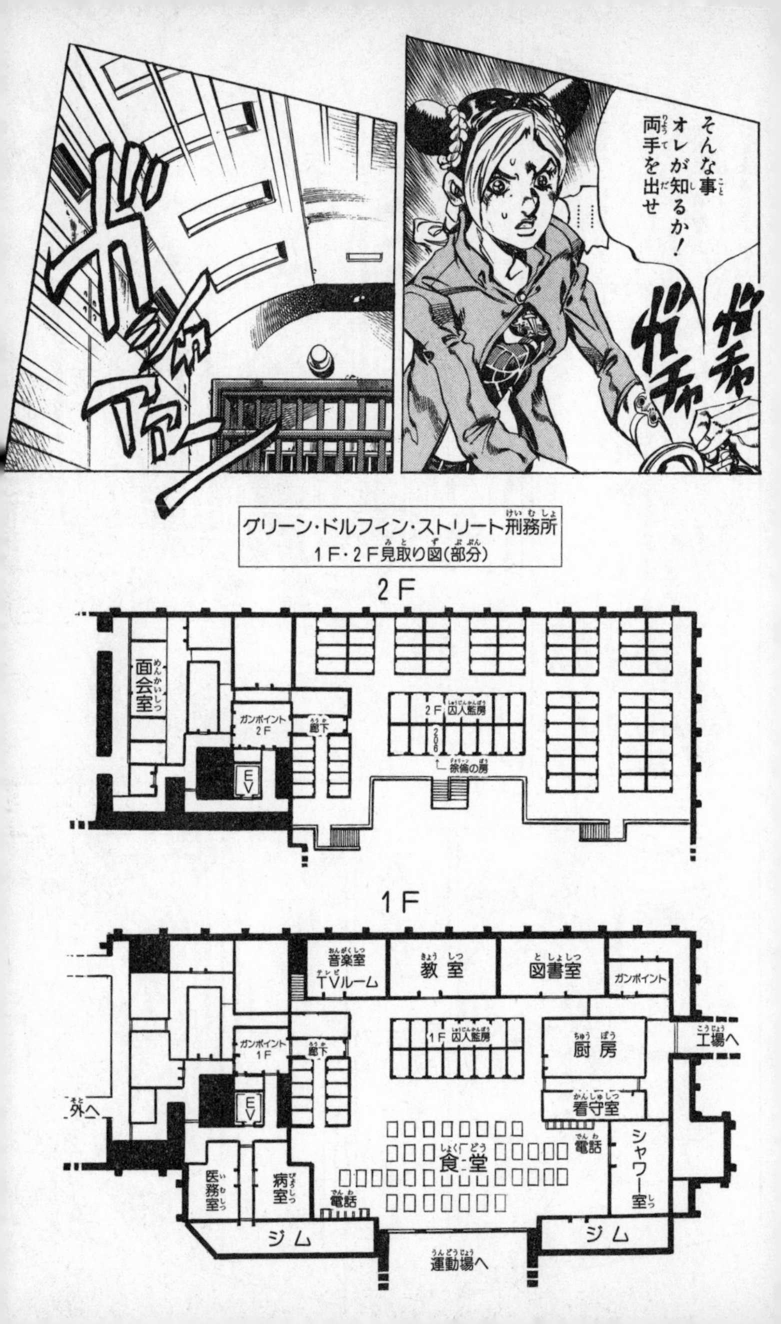
ガチャ
ガチャ
……
そんな事オレが知るか！
両手を出せ
ガシャアァー
グリーン・ドルフィン・ストリート刑務所
1F・2F見取り図(部分)
2F
面会室
ガンポイント 2F
廊下
2F 囚人監房
206
徐倫の房
EV
1F
音楽室
TVルーム
教室
図書室
ガンポイント
ガンポイント 1F
廊下
1F 囚人監房
厨房
工場へ
看守室
EV
外へ
電話
食堂
シャワー室
医務室
病室
電話
ジム
ジム
運動場へ

そこにあるマークの位置に立て…
規則を説明する
面会時間は30分以内
手をにぎる事は許されるがキスをしたり裸になる事は禁止
品物の受け渡しが行われたりするからだ差し入れ品は検査のあと渡される
外国語も禁止会話は録音され内容によっては面会は中止される
前方の扉が開くまでその位置で待て！

……
……

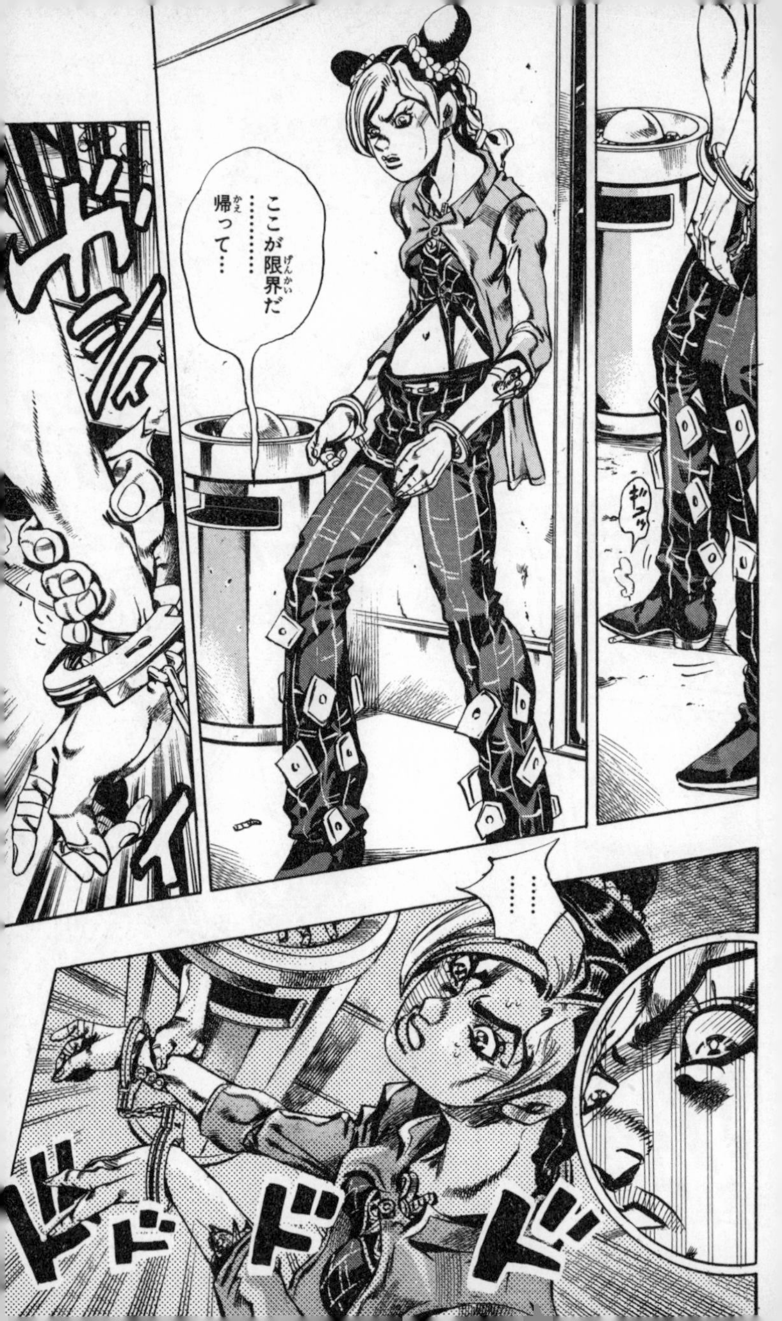

ここが限界だ……帰って…
……
ドドドド

面会をやめて房に帰って……
……まだ間に合うよ……
ゴゴゴ
会ってはならないよ……
面会に行かないで
ゴゴゴ
なッ!!
ババ
……
何者!?
こいつはッ!? い…いったい… ま… まさか
あ…あんたはッ!!
ザッ
ザッ
ゴゴゴゴ

説明はできないんだ…
詳しい事はぼくにもわからないから…
でもこの世には死ぬより恐ろしい事があってそれがこの刑務所で起・こ・っ・て・い・る・の・は確実なんだ
チラ！
おねえちゃんには助かってもらいたい
今ならまだ間に合うよ…部屋に帰って…！
いったいあんた何者なんだ？どうやってここに!?
なぜあたしを知っている？
さっぱり！何を言ってるかわからないッ！
行かないで!!
ダ…ダメよ…あたしはママに会いたい
ママの方だってそうよ…
あたしが元気だってママを少しは安心させてやりたい！

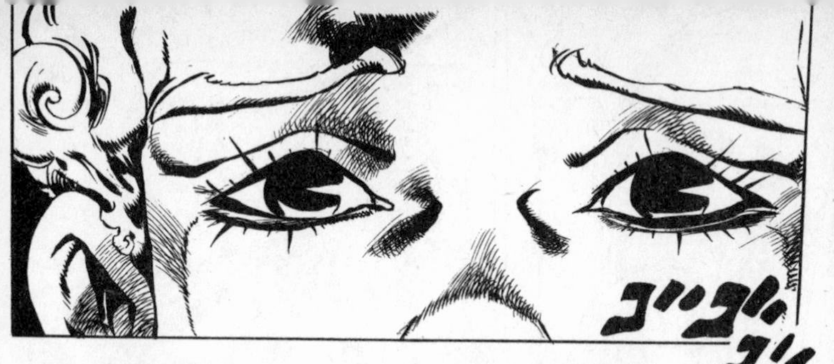
ゴゴゴゴ

……
ゴゴゴゴゴ

これを持って行って……
離してはだめ……君のママと同じくらい……
……
大切に
ガァァァァァ
!!
よしFE40536面会室に入れ

……
はっ！
……
ガコ
こ……これはッ!?
……
ひっ!?
ほ……骨(ほね)!!
!?

はッ！
！

ママじゃあない……
中にいるのは……
『男』…
ドド
ドドドドド
ドドド
ドド
ドドドド
ドドドド
JOJO

ドドドド
ドドドド

こ
こいつは……
こ・い・つ・はッ!
母さんにあずけておいたペンダントは…

受け取ったか……？
徐倫
……
クルッ

ボグ
オオオオ
ゴワッ
……
これで あたしは当分「懲罰房」行きだッ！
おまえと知ってたらここには来なかったッ！
のこのこ父親面して来てんじゃあねェ――ッ!!
やれやれだ……
しかしおまえをここから… 出す
すぐに
……そのために…来た

スタンド名―『ストーン・フリー』 本体―空条徐倫		
破壊力―A	スピード―B	射程距離―1～2m
持続力―A	精密動作性―C	成長性―A

能力―◎糸が集まってできているかたまりのようなスタンド。
○力・スピードの射程はせいぜい2mだが、糸だけを細―く伸ばしてやれば糸の長さだけの射程を進める。その場合、すごく強度は弱くなる。
○糸電話のように、声や音を聞くことができる。

A―超スゴイ　B―スゴイ　C―人間並　D―ニガテ　E―超ニガテ

面会人(めんかいにん)　その②

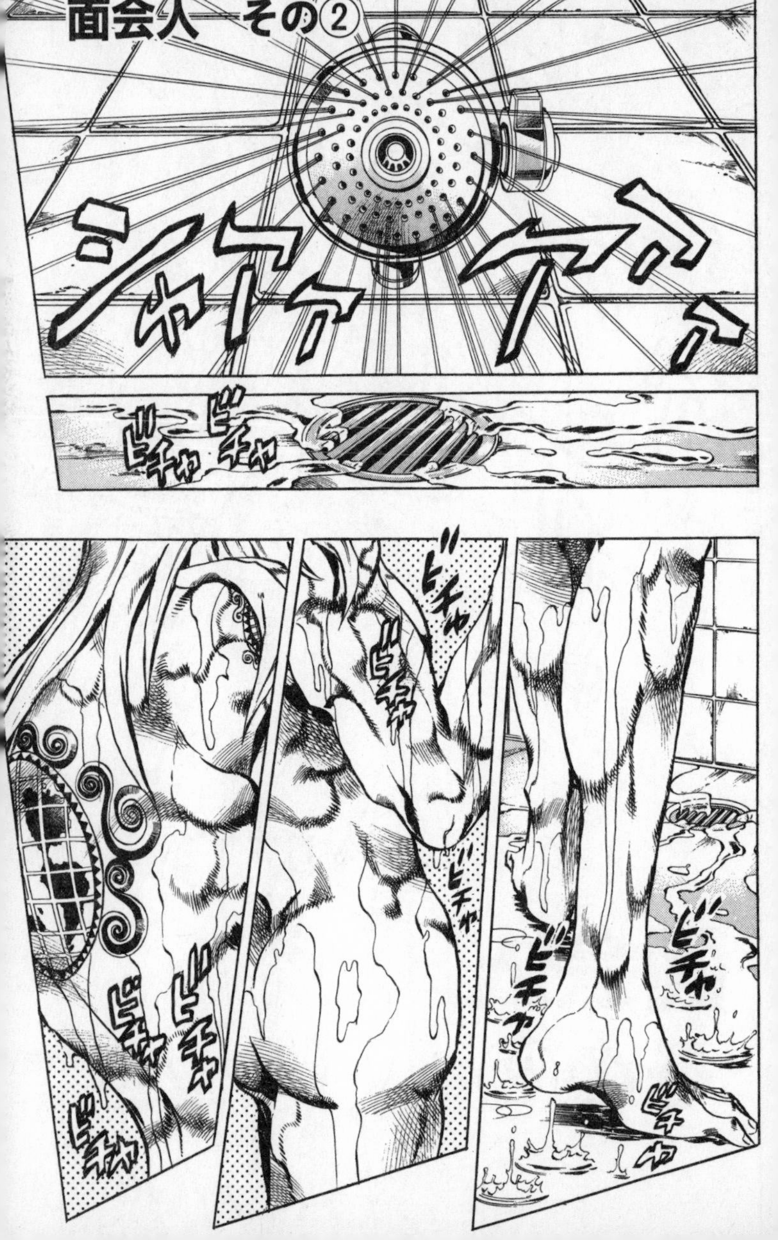

シャアアアアアア
めんかいにん
面会人
その②

ズポチッ
ヒュウウウウウーー
バッ
おい
風が強くなってきた
中に入ろうもうオレはやめる
なにやってんだ！さっさと拾えって！
バラ
おめー座ってねーで拾えよ！海まで飛ばされちまうぞ！
パラ
これで全部か？
ああ拾ったぜ全部だよ
なあ食堂でゲームを続けよう
……51枚

51枚……
ブーッ
ブーツの中…1枚だけ…
ポロ
ヒラ
ヒラ
ヒラ
おいおい 51枚しかねーじゃあねーか!
2枚たりねェー トランプは53枚だ!
全部拾ったってばよ――
確かだよ 数えなおせよ! どこにも落ちてねぇー

バーカ
てめーのブーツをみろッ！
足首んとこにひっかかってるぜ！
悪い……
ケースの中にしまってあった……
ジョーカーだ
あ！
じゃあー
もう1枚はどこだァァ
……
ヒュ
ドドドドド
ゴン
今…
「面会人」が来たらしい……
もちろんあんたへじゃあない……
隣だよ……わかるな
情報だよ

なあ ちょっと！
後前…逆だぜ
ズボン
その
……

……
ちくしょオ〜〜〜 ヤバイ 強く殴りすぎたか
ユサ
ユサ
おい 起きろォ――ッ 面会は終わりだァア――ッ
スッ

写真の男の名は「ジョンガリ・A」
元軍人で風速20mの中でも仕事をこなしたという狙撃手……
調査によると白内障のせいで視力がかなり低下しているらしいが…
そしてこいつは現在この刑務所の男子監に収容されている
聞くんだ徐倫
おまえに殺人の罪をかぶせこの刑務所に入れたのは・ロ・メ・オとかいう・ボ・ー・イ・フ・レ・ン・ド・で・は・な・い
G.D.st

この「男」だ……………
……
あの「交通事故」は仕組まれたものだ
このジョンガリ・Aが刑務所の中から外のチンピラに命令して無関係のヒッチハイカーを雨の道路に投げ込ませた
ロメオもおまえも それをはね飛ばしたと思い込んだ

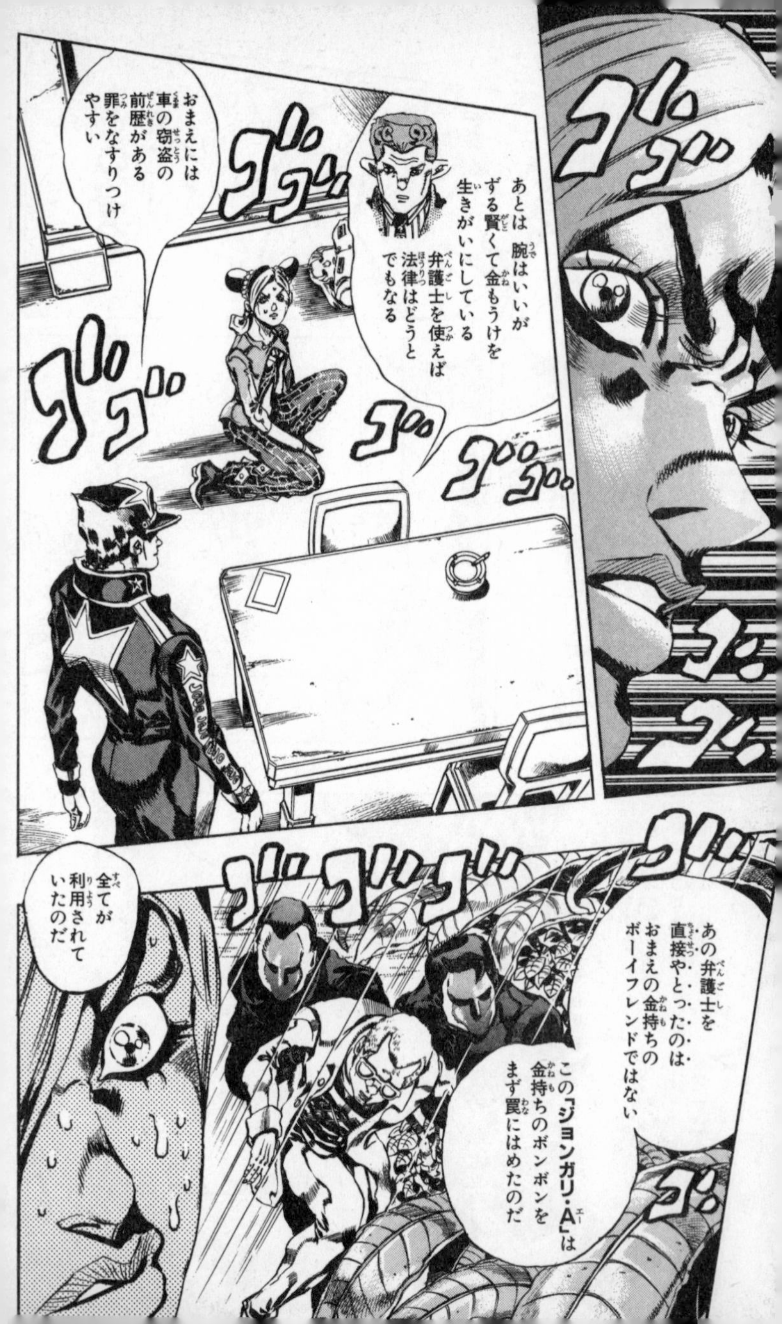
あとは 腕はいいが ずる賢くて金もうけを 生きがいにしている 弁護士を使えば 法律はどうと でもなる
おまえには 車の窃盗の 前歴がある 罪をなすりつけ やすい
あの弁護士を 直接やとったのは おまえの金持ちの ボーイフレンドではない
この「ジョンガリ・A」は 金持ちのボンボンを まず罠にはめたのだ
全てが 利用されて いたのだ

ドドドドドド
ドグシャアア
手伝って徐倫
車を盗んだな
司法取り引きといって罪を認めれば半年で済む
15年
15年!!
ぼくを好きだといったのはウソだったのかい
ドドドドド

てめえ昨日たしか2発殴ったよなぁああ～～～
くっそおおおおおおお
ボァ
…なんのためにだ？
こいつは…！！
なんのためにあたしを刑務所なんかに入れたと聞いてるんだァァ――
……
バン

「ジョンガリ・A」は
ワザと刑務所に入ってる
おまえとオレの血が・・・つながっているからだ
好きな時に…いつでもこいつ自身がおまえを始末できるようにな

……
人の心に何かを伝えるというのはすばらしい事だ
だが時として「カス」が残る
「恨み」というカスがな…
面識はなかったがこのジョンガリ・Aはオレのかつて敵だった「男」の部下だ…まちがいない
20年以上もたっているというのに
こいつは仕えていた男への狂信を「恨み」の動機に変えている

法律は無視する
おまえはすぐにここから出なくてはならない
オレはそのために来たいいな!
娘であるおまえには遺伝しなかったが素質はあったはずだ
スタンド能力は身についたか?
それを使って出る
あんたと会う時はいつも悪い話を聞かされるな…
……
2〜3年ママをほっとくとか
離婚するとかさ
ポイ
うるせーぞ……
父親面であたしに指し図をするな

愛情って
ワケか？
あたしがこんな姿に
なって やっと
会いに来たって
ワケか？
あんたの事は
もう心の中に
ないのにさ
ただまあ
いいや
ショックな話と
ペンダントは前向きに
受けとってやるぜ
もう帰って
いいぜ
そして
もう会いに
来るな

この刑務所は
近いうち自分の力で
出てやるさ
今は
中に戻る
待て
ちょっと中で
気になる出来事が
あったんだ
このタバコは
誰が吸った？
……
オレは吸わない
看守のポケットから
こぼれ落ちてるが
銘柄が
違う

煙がまたのぼり始めている
フン
徐倫そのドアから離れろッ!!

『スタープラチナ!』

ドォォン
なんだとォオオオオオ
バカなッ！
徐……

……!!
「糸」……!?
糸で網をあんで……
弾丸の力を
防弾チョッキのように…分散させて
瞬間…こんなことを……

ゲホ！
ゲホ！ゲホ
な…なんですって…今……のは！
弾丸!? ゲホ！
ゲホ
ドアに近づくな
ヤツはすでにおまえとオレの命を狙っていた………

面会人 その③

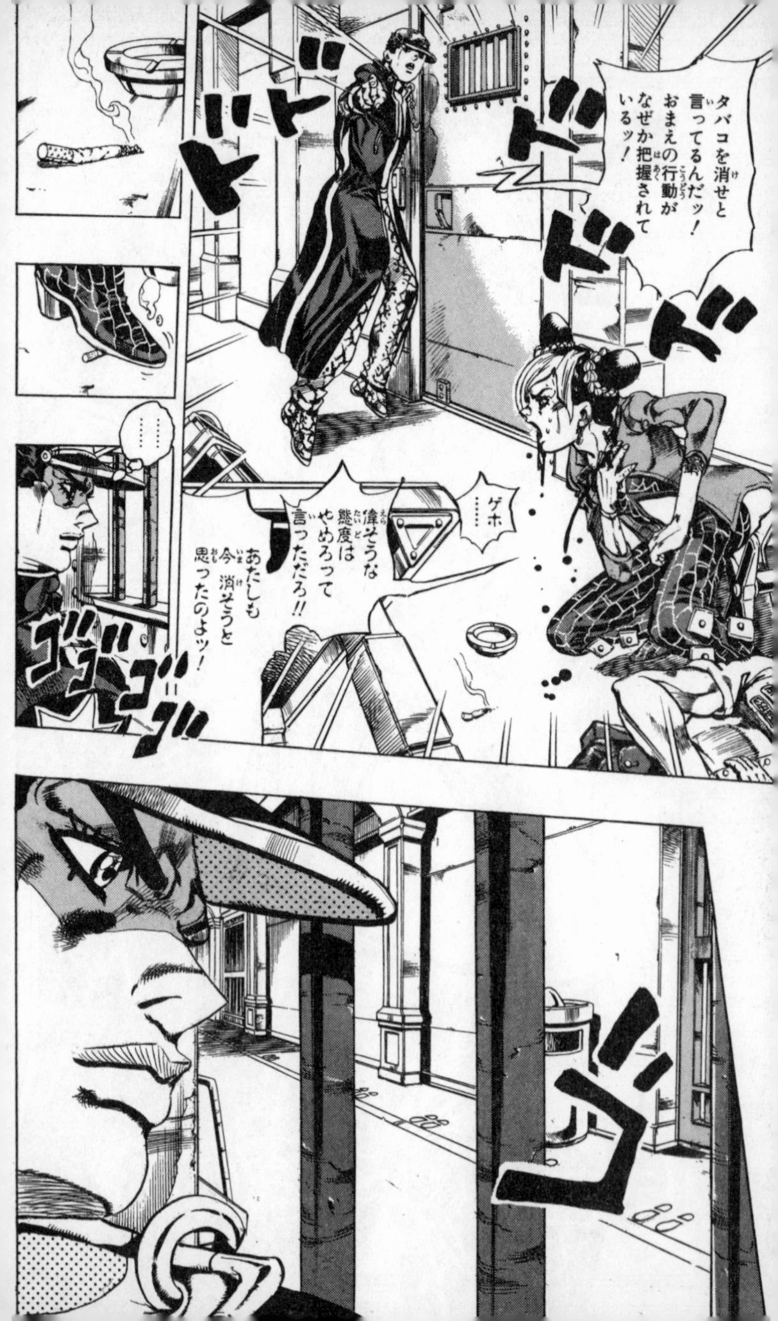
タバコを消せと言ってるんだッ！おまえの行動がなぜか把握されているッ！
ドドドド
ドド
……
ゲホ……
偉そうな態度はやめろって言っただろ!!
あたしも今消そうと思ったのよッ！
ゴゴゴゴ
ドン

廊下の右奥はどうなっている？窓はあったか？
ええ……
2～3個でもどれも檻がはまっている……
これは『ジョンガリ・A』の狙撃とみて間違いない
だが銃声は聞こえなかったし
そしてこの弾丸は「本物」だ……スナイパープレミアム弾といってライフル使用のものだ
位置はわからないがヤツはどこか遠くからライフルでおまえを狙撃して来た！

ライフル? ゴホ! ちょっと待ってよ……
ライフルって何よ!?
写真の男…
あたしを陰謀でここにブチ込んだのは十分わかったわ!
……とすると問題は
ヤツが「スタンド使い」であるのは間違いないと見てどうやってこの「面会室」を狙ったか…だ
でもそいつ囚人って言ったわよね
ここは女子監! しかも囚人はボールペンさえ持ってないのよ!
そうかな…
銃は分解できる…
そしてハムだとかシェービングクリームのカンだとかの中にはそれが入る…
友人だとかが面会で看守に賄賂を渡せばろくすっぽ調べもせずに渡してもらえる
ちょっとずつ少しずつな……
数カ月もすれば部品を組み立ててライフルの一丁あがりさ
SHAVING

さっきおまえが助かったのは幸運であり偶然だ
次に撃って来るタイミングは予測がつかない
銃声も聞こえないライフルではな…
オレの「能力」…時を2秒だけ止めて身をかわすタイミングが…………次はいつ止めていいのか
……………
ゴゴゴ
ゴゴ
そいつは男子監からここを狙って来たってこと!?
そして今もッ!!
ライフル＋「何かの能力」だ
さてこれからどうするかだ…
鉄格子看守…ジョンガリ・A…
どうやってここを脱出するか…だ

……
面会室に行かないで……
これを離してはいけないよ…
ママと同じくらい大切に…

ねえ……
あんたさ…これ……何かわかる？
……
あたしにも意味はわからないでも「秘密」があるらしい…
『人間の骨』だ
しかも成人女性仙骨という骨盤部分だ
表面の状態から見て『酸』のようなもので溶かされている…「薬品」かあるいは「動物の胃液」………

……
酸？
どういう理由でそんな物持ってるのか知らないが……今は関係ない
見ろ
……

……
なによ
あれ!?
!
顔を出しすぎるな……
あれがゴミでないことは確かなようだ
で…でも……

いったい…今度は遠ざかっていく……
ファ
ファ
…いや……また落下して来ているわ…
すごく軽いみたいで……
空気に舞っているだけみたいだわ
なんにもするな…
ヤツの「スタンド」に間違いない……何もしないで「ジョンガリ・A」が何をしたいのか見きわめるんだ……
ドシュン
ドシュゥ

ギューン

かわしたわッ！あいつは「糸」が見えているの？
よけいな事を……
大声を出すな 何かに反応している
だが「糸」の動きではない
つかめないッ！
糸とは無関係の方向に動いている…
……………
ひょっとしてあれに反応してんじゃあないの……
あれよ
「糸」の動きが巻きおこした…えと……
その
なんていうの？
あれタバコの煙もあったし…
『気流』…………か
「糸」のエネルギーが動かした…気流に反応して舞い動いているという事か…

てめ…え
FE40536……
オレに何をやっちまったかわかってるんだろうな……
ええ
おい
……
てめえ頭おかしいんじゃないのかァ――ッ
ガ
……
徐倫空条オオオ――ッ!!

イイオオオオ
!
こ…
こっちに
近づいてくる!
「気流」よ!
てめえは完全に
懲罰房
送りだ!
それとも
5年追加の
脱獄未遂に
してやろうか
ええッ
!!
だがその前に
このオレがブチのめして
やるウウウウウーーーッ
お…
落ちついて
ドアから
離れて!
……………!
さわぎながら
その警棒ふり回すな
……………
あ… あんたが危険だ

扉のそばに来ているッ!!
ドドド
徐倫壁から離れるな……
スタンドもだ
ドドド
そんなのわかってる
でもあたしに命令するな………!
こいつをもう一回ブチのめさないとヤバイだろォォが──ッ
ドドド
てめえ今の誰に向かって言ったんだこの野郎ォォォオオオ
ドドド
やばい
やむをえん…
ド

『スタープラチ……

やはり『タイミング』だった…
少し遅すぎた
「時を止める」タイミングが…
わからない…
あんた…
あ

ヤツはこれを狙ってたんだ……
ヤツはこの面会室に3人いるのを知っている 同時に2人動くのを待って その位置を読んで狙撃した…
確実に「2人」動くのを…
一撃で……
ドドドド
ドドド

ジョンガリ・Aはこいつを使って空気の動きを読んでいる…
しかもあのスタンドは「衛星」！……
ライフルであのスタンドを狙い……
弾丸を中継させる『狙撃衛星』だ……!!
ドドドドドド

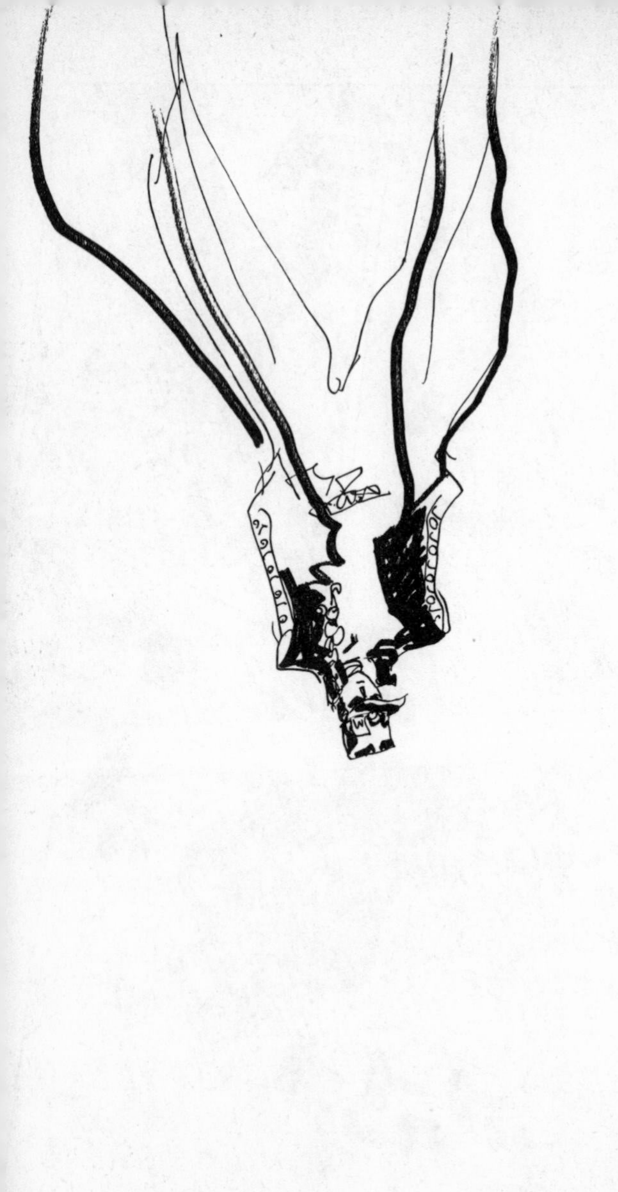

コォオオ
『気流』……
ォオ

この男は
建物内の……
オオオォ
オ
『空気の流れ』を
読んでいるッ!!?
あいつは
呼吸の乱れにさえ
反応しているのかも
しれない…
叫ぶな!
徐倫……
……
ワオォ
オオ
面会人 その④

この部屋から
ジョンガリ・Aの
ライフル狙撃位置を
見つけるのは
不可能に近い
ここはあの
衛星スタンドを
たたくしかない…
スタンドへのダメージは
ヤツ本体へのダメージ
だからだ…
オオオオ
オ

面会人その④
徐倫 壁から離れるな！
何をやっているッ!! ヤツがおまえを探知するぞッ！

ゴゴ
ゴゴ
ゴゴ
ゴゴ
……
ゴッ――ン
ゴッ――ン
ゴッ――ン
ゴッ――ン
ドドド
ゴゴゴ

ゴゴーン
ゴ
……
ゴゴーン
ボグン
ガシャ
ガパ
ガシャガシャ
キリ
キリキリ
キリ

「筋肉」は信用できない
ドドドド
皮膚が「風」にさらされる時
筋肉はストレスを感じ微妙な伸縮をくり返す
それは肉体ではコントロールできない動きだ
ライフルは「骨」でささえる
骨は地面の確かさを感じ銃は地面と一体化する
それは信用できる「固定」だ
ビシッ

風の「動き」は予測できないと博物学者は言う
一理ある
だが決して読めないわけではない
この「蝿」は気まぐれな動きで飛行しているのか？
違う
ただよう臭いだとか空気の流れを感じて飛んでいる
風が「蝿」の動きだ
ポロ…

ジジジジ
ジジ
面会室には「3人」いた
ひとりは左肩部を射抜き……
身長と肩の高さからみてそいつは空条承太郎……
間違いない
そして看守
こいつはもう動かない……頭部に命中した
ケオオオオオオオ

問題は最初の一撃目だ
「空条徐倫」……確かに着弾したのになぜか生きている
オオ
オオ
オ
オ
承太郎が偶然にも「時」を止めたのか…
まあ　いい…予定はまったく狂っていない
オ
我がスタンド「マンハッタン・トランスファー」は
オオ
面会室のおまえらの「動き」を完全に射程内につかんでいるッ！
オ
オ
「おまえらの血統にとどめを刺す時」オレの人生はやっと始まるッ！
我が「心」のささえを奪った復讐には
決着をつけなくてはならないッ!!

ドシャ
ザアアーーーーッ
アアア
アアアアア
…………

ガクン!
ガクガク
ガクガク
ガク
ガクガク
ガクガク
ガク
あ・い・つ・を
た・た・け・ば・い・い・と
言ったわよね
スプリンクラ――
火災警報も
きっと
鳴ってる
だろうけど…
ザアアアア
ヤツのあの
動き!
「水滴」で
気流が読めなく
なっているわッ!
シュル

今だッ！
『ストーン・フリー』
違うッ 待てッ！
よく見ろ！
身をかわして動いている…
『水滴』を…
ひとつぶ ひとつぶ 『水滴の気流』まで読んで動いている

徐倫 壁に戻れッ！撃ち込んでくるぞ！
ズギュン
！
ン！
扉のそばに……もうひとりいる！
おねえちゃんよく聞いて
その柱の下!!「石」を蹴って！
ドン
いや…潜んでいたのか！

急いで!!
ドドドドド
柱の下の石壁を
動かすんだッ!
強い力で蹴って!!
あ…
あんた?
ぼくの事は
どうでもいい!
早くッ!
ゴゴゴ
ドドドドド
いいね!
ぼくの言った事を
忘れないで!
おねえちゃんには
生きのびてほしい

ザオオーー
……
……
……
これはいったいッ!!
タタタタタタ
今の会話はどういう事か知らないが
壁と壁の間を下へと続いている
どうやら抜け道らしい
刑務所の下水溝か…!?
通風道か…!?
ヒュー
深いぞ 外までいってるのかもしれん!

シュン
行くぞ徐倫
それしかないようだ
何をしている！
ヤツに読まれてるッ！
早く中へおりろッ！
どこに行った？
……そのスタンドがいなくなったわ
違うわ
そうじゃない！
近くにいる！
ヤツは完全な狙撃角度を探しているのだ！

追って行ったのよ……
ドアの外へ……
まず…こ…あの子を！
逃げ道を教える
あの子を先に
始末する気だわ……

徐倫 下へ降りろッ！
オレは ここから
おまえを出すために
来たッ！

ゴォ！

ドドドドドド
この部屋に来る前
あの子はあたしのこの手をにぎったの
信じられないけど・・・ここにいる
そこらへんの公園にいるような子供で知ったこっちゃないただの赤の他人なのよ
でもすがるようにあたしの手をにぎったの
そして その体温はあたしの事をいたわる感じもした

あたし
中に戻るわ
あの子をヤツが
撃つ前に　あたしが
ジョンガリ・Aを倒す
ドドド

ザッ
ザッ
……

…………
…………
やれやれ……
…だ
………

面会人(めんかいにん) その⑤
JO JO JO JO
JO JO JO

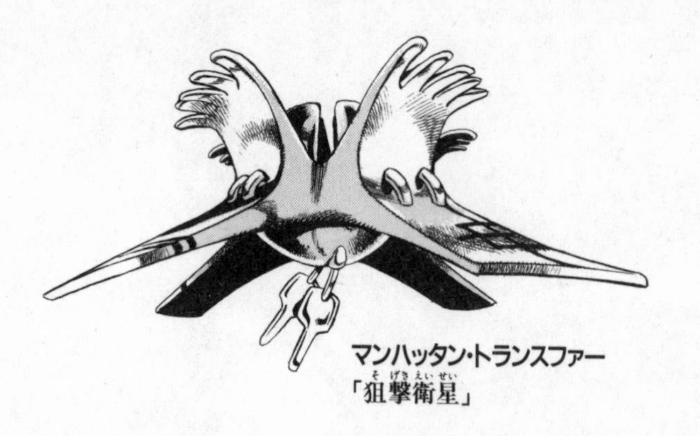

マンハッタン・トランスファー
「狙撃衛星」

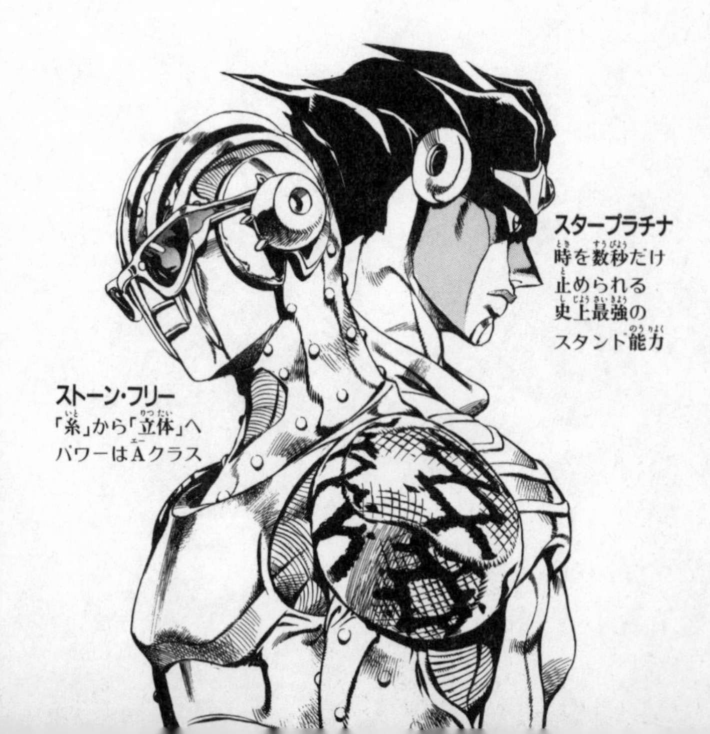

スタープラチナ
時を数秒だけ
止められる
史上最強の
スタンド能力

ストーン・フリー
「糸」から「立体」へ
パワーはAクラス

身長は約140センチ
小柄なヤツだな……
まるで子供のように……
何者か知らないが面会室の壁に突然開いた穴は通風溝だ
しかし!
通風溝がどこへ通じているかは「風の動き」でわかる
この小柄なヤツに承太郎と徐倫が通風溝内で案内され……
「弾丸」のとどかない場所に隠れられるのはさけたい……

2人はもう
見失わないッ！
最初に この
「小さいヤツ」を
15秒以内に
仕留めるッ！
……
ゲホッ！
ゴ ゴ ゴ
ゴ
ゴ
あの
男の子
……!!
ゴ
ゴ

面会室で警報だッ!!
火災の警報が鳴っているッ!
室内にカメラがないから情況がわからない!武装しろ!
……
あの子この牢獄のどこから現われ
どこへ消えてるの?
急げ面会室Bだッ!
……
FIRE Extinguish
Extinguishe
G.D.st JAIL

ガパ
アッ
オオオオ
……

オオオオ
……
「あの子」が掘ったの？
この壁
ここを
行ったのね
……？

とにかく………！
ズルッ
ジョースターの血…
…か
だが徐倫
ヘヴィすぎる
状況が……
今！
スタンドは防御にしか使えない…
もし攻撃したなら気流が起きて探知される!!
やれやれだ………
ヘヴィすぎるぞ！
ゴゴゴ
ゴゴ

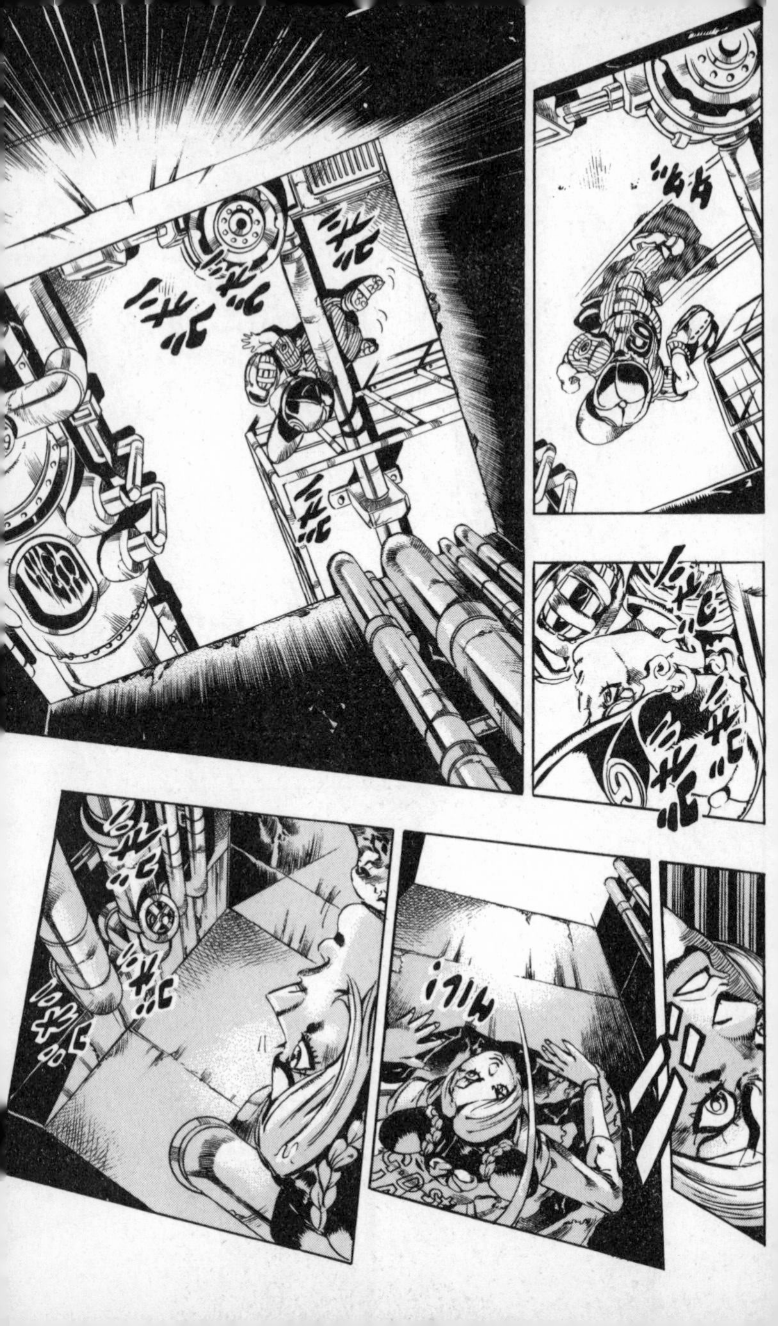

シュー
やっ…!!
ヤツがいるわッ!
やっぱりあの子を追って来ているッ!!

でも下は機関室っていうか電流だとか汚水のパイプが通ってるような部屋
男子監房のどっかからライフルで弾丸を打ち込んでくる窓なんかないかもッ!
ゴオン ゴオン ゴオン
いや!……ッでもッ!……しかし!
ジャバ
……
ゴボ ゴボ
グ グ グ グ

あの子が！
これはッ！
汚水パイプの中に…
ゴホ！
「気流」は起きないッ！
……かなりいい!!
……いや……すごく幸運だわ!!
「体全体が水の中なら」
ましてやパイプの中!!
ヤツはあの子をもう見失ったわッ！
そしてこの部屋はドアだけ！
窓がない！
ゴゴ…
ボゴオッ！

ガクン
……
ガシャーン
……

距離321m
弾丸は空中で
9・5cm沈み
ドドドド
海側から
風速3・2mの微風
弾丸は左へ
4・2cmずれる
室内の床面に
汚水と思われる大量の
液体の流れの動きあり
室内の出入口数
6カ所
ドドド
な…
なんてことッ!!
パ…
パイプの
ボルトをッ!!
標的を確認
頭部右肩部
胸部が露出
している
照準点を
心臓に固定
バン
まずいッ!
今たたかないと
彼が撃たれ
るッ!!!

『ストーン・フリイイイイイイイ——ッ!!』

網状のものが上方から接近！
「空条徐倫」……「糸」！あの娘のスタンドだ そしてここまで追って来てるとは！マヌケかッ！
面会室からおまえらを追う手間がはぶけたッ！

糸を網にして 我が「マンハッタン・トランスファー」の逃げ道をふさいだと思っているのかァ――!!
ドン
これは……
発射ッ――!
照準点を徐倫に変更！全身を確認ッ！
頭部に固定
ドシューッ

！
…………
な……
………………？
このパイプ……………
ゴホ！
……すでに……
……………という わけだな
ゴホ！
このにおい……………
折っ・と・い・て 良か・っ・た・わ
……すでに

ここに入って来た時…すぐ……
ガスのパイプを……
シュー
シュー
シュ
ガスがこの辺にたまれば
あんたの回りの空気とは違った「層」ができる
ゴホ
都市のガスは『空気より軽いから』この天井のあたりにたまると思ったの
油と水みたいな空気とガスの層がね……ガスは下の空気とまざってないんだから
気流の正確な探知ができないと思ったのよ
い…
ガシャ
バッ
いったいこれはッ!?!?
ガシーン!

もう遅い！
捕まえたわッ！
STONE FREE！
ドグシャア
ぐっ

面会人 その⑥

ガシャン
バシャ
バシャ！
…………
ズル
ガン！
痛ッ!!

くっ……………ぶつけたわ…………
そうよ…それにこれよ
何か「酸」のようなもので溶かされた「骨」よ
人間の女性……
これはいったい!?
どういう事なのよッ!!さっぱりわからないわッ!!
……
まだ…だよ
まだ……なんだ……
それを決して離してはいけない
ズ
……

この子は無事よ……
ジョンガリ・Aとかいう狙撃手のスタンドも捕まえてみたらなんて事はなかったわ
これ

たたき込んでバラバラよ

ドドドドド

えっ
ドドドド
……

や……
ドドド
まさかッ
ちょっと待ってッ！
バカなッ！
ドドド
ヤッがいるッ!!
ドドド
シュン
！
ドドド
ドドド
あ…
あそこよッ！
いるわッ
移動しているッ！
ドドド
ドドド

隠れてッ！ライフルを持っているッ！
あそこのパイプの陰よ！タンクの上の方に行ったわッ！
それは考えられない
ヤツは200～300m離れた男子監から狙撃して来たのだ
何十と鉄格子はあるし第一ヤツの視力はほとんど盲目
数十秒の間にどうやってここまで来るというのだ
ドドド
知るかアア——っ
いるっていったらいるんだよォ——隠れろッ！

ドドドドド
ドドドド
しまったッ！あんたの真上だアア――ッ！
わかった……………
信じよう

オラァ!!
そして備えろ
確か…たまっていた…はずだな
ガスが

やった……
やったわッ！
今度こそやったわッ！こいつ換気溝を伝って来たのよッ！
この刑務所には秘密の通路があってあの子もなぜかそれを知っているッ！
そうなんでしょ!?
君ね！

…………
キョロ
あれ……？
…ね
あの子どこへ行った？
…………
少年よッ!!
隠れてるの？ね！もう怖がらなくていいわッ！
出て来て全てを説明してッ！
やはり こいつが数十秒でここまで来れるはずがないのだ
早すぎる
ここの扉だってロックされている
ブスッ
ブスッ
だからその謎をあの子に答えてもらえばいいのよ！
ちょっとさ！どっち行ったか見なかったの？
……
何を言ってるのかわからない
「少年」とか「あの子」とは何の事だ？

ああ〜そうか…あんた彼の顔を見てなかったのね？
あたしが面会室のドア越しに話してたのは子供なのよ…
ジョンガリ・Aはその彼を先に始末しようとしたの

「始末」？
さっきから本当に何をしゃべってるんだ？
おまえは自力で勝手にここまで来たのだ
だからオレはおまえを追って来た

待ってよ話が合わないわ……
少年の声は聞いてるはずだわ！
いや絶対に聞いてるッ！だって秘密の通路を教えてくれたんですもの！
幽霊の声でも聞いたのか？
秘密の通路なんてそんなもの知らない
てめ――こんな時にあたしをからかってんのかッ！
おまえがここに居るのは秘密の通路を来たから…

ちょ…ちょっと待って……
……
あ…あんた何かおかしいわ……
「傷」
…左肩の撃たれた傷はどうしたの？……
血が出てないばかりか…服もやぶれてない
傷？

……
……
は！

あっ…あたしのッ！
ジョンガリ・Aの弾丸で傷ついた……
あたしの
首の下の傷も⁉
……
！！
こ……こいつはッ⁉

何なんだ!?ジョンガリ・Aじゃあないッ!
こ…こいつは…看守ッ!!
面会室で顔を撃たれて死んだはずの!!
撃たれた傷って何の事だ?
そもそも誰がジョンガリ・Aだと?
ドドドドドドドド
い…いったい!?どういう事!?
な…なにかがおかしいッ!
つじつまが合わないッ!!オヤジの会話も…男の子の行動も!
ドドドド
は!
ビュ!
ドロ
何よこれは——ッ!?
ドドド

さっきスリむいた
あ…あたしの手の
傷から…
ドドドド
面会に行っちゃあ
いけないよ
……
死ぬ事より
恐ろしい事が
起こるんだ
これを
絶対に
離してはいけない…
あなたのママと
同じくらい大切に
……
ドドドド
ヴシューッ
ビュッ
ドロドロ
ドロ
ドロドロ
ドロ
ドロドロ
ドロ
ドロドロドロ
ドロ

ジョンガリ・Aの攻撃なんて最初からあったの？
ドロ ドロ
そもそも最初に「あのタバコ」！あれは誰が火をつけたの？あの「タバコの煙」はいったい誰がッ！
ドロ
ジョンガリ・Aではない！
ドロ
ドロ ドロ
ドロ ドロ
全ての出来事のつじつまが合わないいッ!!
ドロ
これは現実じゃあないッ！あたし何かを見ている……い…いや…見させられている
ドロ ドロ
ゴ
最初にあったのは「タバコの煙」！「あの煙」が何か怪しいッ!!
ドドド
ドドド
これは全て幻覚だわッ!!

はッ!
……
ドロドロ
ドロドロ

ドロ
ドロ
ドロドロドロ
ドロ
ドロ
ドロ
夢(ゆめ)…
ドロ
を
うう… く…
う……
くっ… ああ

見させられていた……
ドロドロ
動けない……
……
秘密の通路そんなのは……ない……
ドロ
ドロ
「敵」はジョンガリ・Aなんかじゃあないッ！「別の敵の能力」！狙撃手なんて……最初からいなかったッ！
この面会室に入った時から!!オヤジもテーブルもイスも看守も巻き込まれて！
ド
ドドド
ドドドドド
あたしたちはゆっくりと……大蛇の胃袋の中に飲み込まれたみたいに溶かされていた!!

面会人その⑦

ゴゴゴゴゴゴ
この面会室で……
あたしが……
あの看守を殴り倒したのは……
「現実」みたいだ……

写真……
オヤジ……から
ゴゴゴ
写真は見せられた……
ドロドロ
ヒッチハイカーの自動車事故は全て陰謀だったというのも聞いた…
「現実」だ…

その直後だ……眠らされたのは
タバコの煙に気づいた直後から!!
風を読んだり狙撃衛星だとか…
弾丸に撃たれたりとか「マンハッタン・トランスファー」とかいった名前は……
ゴゴゴゴ

あたしの心が勝手に創り出した「幻覚」だッ！
秘密の通路もあたしのただの「想像」ッ！
現実はッ!!
……………
幻覚を見させられて気づかないうちに肉体を溶かされている……
この『胃袋の中』みたいな状況なんだッ！
そしてこの骨をくれた……
ゴミ箱の中の謎の少年ッ!!
彼は現実！野球服の少年はいる!!
この骨を無意識に握ったので手を傷つけ…あたし……目を醒ましたんだ
傷の痛みがなければずっとまだ眠ったままだった！

この能力がッ！
ドドドド
現実のジョンガリ・Aの「攻撃」ッ!!
ドシュゥ
ドッ
ゴオオオオオ
ボ！

ヴアシュゥーーーッ
ああああああああっ
う
い……糸があっという間に溶けるッ！
ま
数センチも遠くまで出すことができないッ！
ズズズズズズズ
まずいッ!!
ドヴォオ
ドロドロドロ
ドロ
ま…また……眠くなって……きた
腕さえも動かせないというのに……
「ジョンガリ・A」本人はともかく……
ここはこの状況を脱出じなくてはッ！
早く……この面会室から外へッ！

ドロドロ
ど…どんどん消化されていく
に…肉がッ!!
ズズ
ズズズズ
オドロォ
ああああああ
あああ
うおおおおおおおおおおお

STONE FREEEEE (ruby: ストーン フリー)
ドグワァァ

ゴゴゴ
う…
……む……ク
…………
…………
これは……
やっ……たわ……
扉の……そばへ…
イスの脚も半分溶けかかっていたから……
行けたみたいな……
目が醒めたらできるはずよね
破壊して……扉を
……
あんたの能力
スタープラチナ…で
すでに罠が…
はられていたのか…この面会室……
急いでエエーーッ!!
どんどん肉体が溶かされてるわッ!!

オラアッ!!
ドグオオオオッ
バチ
バチ
開いたッ!
扉がッ!!
この部屋を出るのよォッ
やったわ!あたしをひっぱり出してッ!
待て
今おまえ何と言った?
スタープラチナといったか?スタンドの「名」を……!!
……

なぜ徐倫…おまえが知っている？
この面会室に来て…
「ペンダント」の話をして
……
オレはおまえのスタンドを見た
しかし
おまえはまだオレの能力を見てないはずだ…
父子だから存在を感じてるとしても「スタープラチナ」という名前は知らないはず
……
ドロドロ
ドロドロドロドロドロ
ドロ
つじつまが合わないッ！これは現実ではないッ…！
オレの心が見ている「幻覚」だッ！

はッ!!
う……
ストーン・フリー……
……
……

う……
シュン
やっと……目を……
開けてくれたようね……苦労したわ
「糸」はすぐ溶けるから…
おまえも夢を…
たばこの煙あたりから…
二人とも同じような夢を見ていたのか？

あたしは動けない…指さえも…
あんたはどう？動けるの？
今…起こってるこれも
また夢の中かも……
少しも動けないのなら…「現実」よ…
脱出することはできないっていう……
まぎれもない…「現実」…
なるほど……
目醒めたのはいいけれど…死ぬわ…あたしたち…
ペンダントの能力……
今オレを目醒めさしてくれたヤツだストーン・フリーと言ったなもう一度出してみせろ
だめよ…出たとたんすぐに溶けるって今言ったでしょ
違う…
看守を殴りたおしたヤツだ「固まり」だな
たしか

そう…それだ…
もっとだ
30
このテーブルを破壊するって考えなら…あたしも考えたわ
む…無理よ…
でもそんな「力」は無理…背後の扉だって距離は遠いし…眠くって…動けない…
そうではない…もう少し出せないか…
…ちょっぴりオレの近くへ…
あと数センチ
もうちょっと左側へ出て来てくれるとベストだが…
?
?
?
まあいいだろう
今いち気にいらないがギリギリだ
これで面会室を出よう
?

オラアアア!!!

グゾ
ドドド
ガアアアーン
バラバラ
ヤアーッ
よし…やったな
オレをひっぱって
くれ…
そして
現実だ
…
これは
まぎれも
なく

う…
てめえ
こ…この
痛み
……
ちくしょおお
おおお
………
そして
このムカツキ
……
てめー…
よくも…
脱出できた
けど
このムカツキッ
!
絶対に
幻覚のわけが
ないわッ!
ハァ
ハァ
ズ
ニ
ニ
ー

ズルズル
ズル
ねぇ
この骨のせいであたしたちは助かった
これ…どんな意味があると思う？
意味？
どういう事だ
ここで出た朝メシの食い残しか？その骨は…
……………
あたししか見てないけどやっぱり「少年」はいる！
謎だけどこの刑務所の中に現実に!!
ウウ～ン
ウウウン

909発生！警備レベル4！面会室外側扉に異常警報！
警備レベル4！909発生！
ウウウウ
今は現実だわ完璧に！
抜け穴なんかないし看守はぶったおれているしあたしたちもカメラに映されてる
どうするのよ……？
これであんたも重刑犯罪者の仲間入りね
例のペンダントだが……
今…持ってるな？
そのペンダントは大切な物だからな…
おれはスピードワゴン財団という団体とちょっとした付き合いがあってな……
そこから借りた二人乗りの無人潜水艇を一台近くの海底に待機させておいた
計画を説明するとこれからそれに乗る！
ガサ
ガサガサ

場所は…これがこの刑務所の見取り図だ
×印が面会室で今いる廊下
男子監
ここにある窓とその下は海岸に面していて
しかも警備レベルは一般来客用なのでかなり低い

この海岸からバイクより操縦が簡単な潜水艇でこの刑務所の外海に出る！
全ては外へ出てからだ！いいな…
ドドドド
ジョンガリ・Aのことや考える事はいろいろあるだろうが
ドドドド

行くぞ
ドドドドドドドド
脱獄しよう
ドドドドドドドド
ウジュ
ウジュ
ウジュ
ウジュ
ウジュ
ウジュ
ウジュ
ドロドロ

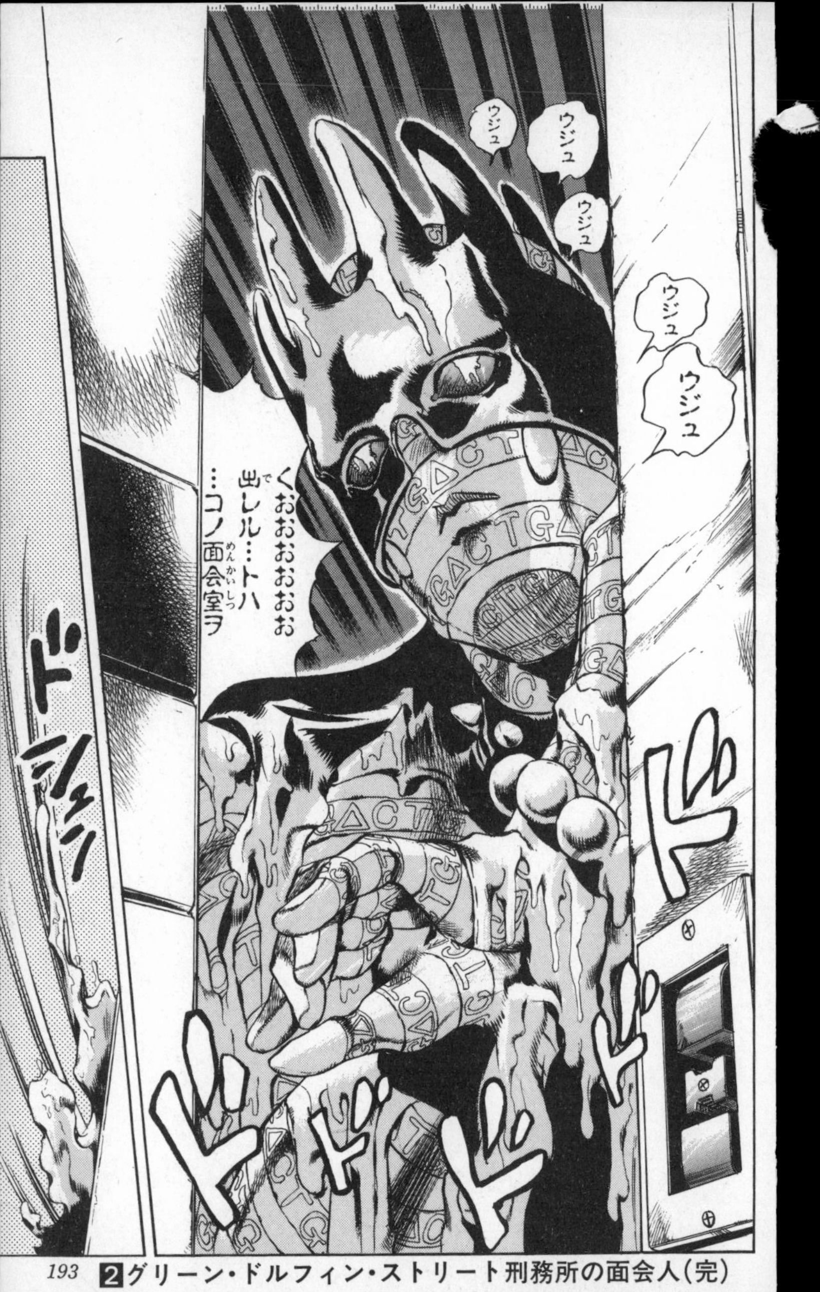

ウジュ
ウジュ
ウジュ
ウジュ
ウジュ
くおおおおおおお
出レル…トハ
…コノ面会室ヲ
ドドドドド
ドシュン

■ジャンプ・コミックス

ジョジョの奇妙な冒険 PART 6
ストーン オーシャン
2 グリーン・ドルフィン・ストリート刑務所の面会人

2000年8月9日　第1刷発行

著者　荒木飛呂彦
©LUCKY LAND COMMUNICATIONS 2000
編集　ホーム社
東京都千代田区一ツ橋2丁目5番10号
〒101-8050
電話　東京　03(5211)2651

発行人　山下秀樹

発行所　株式会社　集英社
東京都千代田区一ツ橋2丁目5番10号
〒101-8050
03(3230)6233(編集)
電話　東京　03(3230)6191(販売)
03(3230)6076(制作)
Printed in Japan

印刷所　株式会社　美松堂
中央精版印刷株式会社

乱丁、落丁本が万一ございましたら、小社制作部宛にお送り下さい。送料は小社負担でお取り替え致します。
本書の一部または全部を無断で複写、複製することは、法律で認められた場合を除き、著作権の侵害となります。

ISBN4-08-872899-8 C9979

ジャンプ コミックス
JUMP COMICS
これが荒木漫画の原点だ!!
トリックかペテンか!?
ビーティーの瞳が輝く時、
ちょっと不気味な事件が起きる…。
COOL SHOCK B.T.
魔少年ビーティー

荒木飛呂彦の

B for the Visitor!!

バルバルバルバル!!
危険なニオイをふりまいて
「BAOH」がやってくる!!
奇想天外、空前絶後の
SFアクション譚!!!

全2巻

BAOH

バオー来訪者

ジャンプ・コミックス

こちら葛飾区亀有公園前派出所

1～120

大人気発売中　秋本治

週刊少年ジャンプ連載1,150回突破!!
両さん、ますます笑わせます

幽☆遊☆白書
全19巻大好評発売中!!
冨樫義博

霊界探偵・浦飯幽助が、霊とデスマッチ!!

赤　龍　王 全9巻 本宮ひろ志
北斗の拳 全27巻 武論尊 原哲夫
CYBERブルー 全4巻 B・O・B 三井隆一 原哲夫
花の慶次―雲のかなたに― 全18巻 隆慶一郎 麻生未央・原哲夫
SAKON―戦国風雲録― 全6巻 隆慶一郎 二橋進吾・原哲夫
猛き龍星 全3巻 原 哲夫
聖闘士星矢 全28巻 車田正美
風魔の小次郎 全10巻 車田正美
るろうに剣心―明治剣客浪漫譚― 全28巻 和月伸宏
CITY HUNTER 全35巻 北条 司
キャッツ♥アイ 全18巻 北条 司
まじかる☆タルるートくん 全21巻 江川達也
DRAGON QUEST―ダイの大冒険― 全37巻 堀井雄二 三条 陸・稲田浩司
銀牙―流れ星 銀― 全18巻 高橋よしひろ
グレートホース 全9巻 星野広明 高橋よしひろ
魁!!男塾 全34巻 宮下あきら
激!!極虎一家 全12巻 宮下あきら
キャプテン翼 全37巻 高橋陽一
エース! 全9巻 高橋陽一
キャプテン翼〈ワールドユース編〉 全18巻 高橋陽一
とびっきり! 全4巻 樹崎 聖
きまぐれオレンジ★ロード 全18巻 まつもと泉
ついでにとんちんかん 全18巻 えんどコイチ
死神くん 全13巻 えんどコイチ
闇狩人 全6巻 坂口いく
ジャングルの王者ターちゃん♡ 全20巻 徳弘正也

NBA STORY 全5巻 高岩ヨシヒロ
空のキャンバス 全7巻 今泉伸二
魔女娘ViVian 全4巻 高橋ゆたか
ボンボン坂高校演劇部 全12巻 高橋ゆたか
キン肉マン 全36巻 ゆでたまご
マーダーライセンス牙 全22巻 平松伸二
BADBOY MEMORY 全10巻 岡村 茂
Doubles 全2巻 小谷憲一
世紀末リーダー伝たけし! 島袋光年
セクシーコマンドー外伝 すごいよ!!マサルさん 全7巻 うすた京介
武士沢レシーブ 全2巻 うすた京介
ウイングマン 全13巻 桂 正和
電影少女 全15巻 桂 正和
D・N・A²～何処かで失くしたあいつのアイツ～ 全5巻 桂 正和
SHADOW LADY 全3巻 桂 正和
I"s〈アイズ〉 全15巻 桂 正和
密♥リターンズ! 全7巻 八神 健
きりん～The Last Unicorn～ 全3巻 八神 健
燃える!お兄さん 全19巻 佐藤 正
とっても!ラッキーマン 全16巻 ガモウひろし
ショッキングBOY 全5巻 雨宮 淳
モンモンモン 全8巻 つの丸
みどりのマキバオー 全16巻 つの丸
サバイビー 全3巻 つの丸
天より高く! 全2巻 浅美裕子
WILD HALF 全17巻 浅美裕子

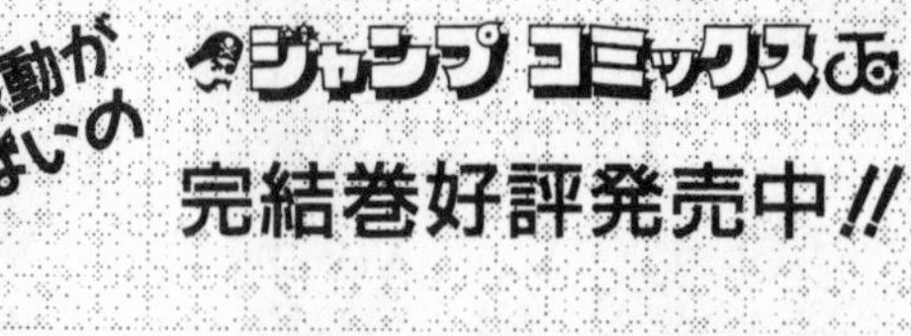

夢と感動がいっぱいの
ジャンプ コミックス
完結巻好評発売中!!
名作たちを読破せよ!!

かっとび一斗 全46巻 門馬もとき
ろくでなしBLUES 全42巻 森田まさのり
自由人HERO 全12巻 柴田亜美
県立海空高校野球部員山下たろーくん 全21巻 こせきこうじ
ペナントレースやまだたいちの奇蹟 全14巻 こせきこうじ
まんゆうき～ばばあとあわれなげぼくたち～ 全2巻 漫☆画太郎
地獄甲子園 全3巻 漫☆画太郎
カジカ 鳥山 明
COWA! 鳥山 明
DRAGON BALL 全42巻 鳥山 明
Dr.スランプ 全18巻 鳥山 明
鳥山明のヘタッピマンガ研究所 鳥山 明 さくまあきら
白バイファイター夢之丞変化 秋本 治
こちら人情民生課 秋本 治
花田留吉七転八倒 秋本 治
こち亀―読者が選ぶ傑作選 秋本 治
ハイスクール!奇面組 全20巻 新沢基栄
3年奇面組 全6巻 新沢基栄
バオー来訪者 全2巻 荒木飛呂彦
幽☆遊☆白書 全19巻 冨樫義博
レベルE 全3巻 冨樫義博
狼なんて怖くない!! 冨樫義博
魔神冒険譚ランプ・ランプ 全3巻 小畑 健 泉藤 進
YAKSA―ヤシャ― 全7巻 ハヤトコウジ
キック・ザ・ちゅう 全8巻 なかいま強 杉崎 守
Because… 全5巻 東宮一・竜井寿紀

流星超人ズバーン 全3巻 黒岩よしひろ
鬼神童子ZENKI 全12巻 谷 菊秀 黒岩よしひろ
幕張 全9巻 木多康昭
究極!!変態仮面 全6巻 あんど慶周
地獄先生ぬ～べ～ 全31巻 真倉 翔 岡野剛
七つの海 短編集1 岩泉 舞
HARELUYA 梅澤春人
LOVE&PEACE 梅澤春人
BØY―ボーイ― 全33巻 梅澤春人
アウターゾーン 全15巻 光原 伸
PSYCHO+ 全2巻 藤崎 竜
ふたば君チェンジ♡ 全8巻 あろひろし
ライバル 全14巻 柴山 薫
爆骨少女ギリギリぷりん 全7巻 柴山 薫
陣内流柔術武闘伝 真島クンすっとばす!! 全15巻 にわのまこと
THE MOMOTAROH 全10巻 にわのまこと
超機動暴発蹴球野郎 リベロの武田 全9巻 にわのまこと
復刻版 BADだねヨシオくん! 全4巻 浅田弘幸
明稜帝梧桐勢十郎 全10巻 かずはじめ
イレブン 全43巻 七三太朗 高橋 広
ノー・トラップ 全2巻 山下東七郎
エンジェル伝説 全15巻 八木教広
Ki・Jファイターズ 全2巻 九十九森 武藤かつひろ
B・DASH 全5巻 松枝尚嗣
ジャンプ放送局VTR 全24巻